アートと対話であなたが変わる

ネット時代における美術鑑賞のすすめ

長井理佐
Risa Nagai

学術研究出版

はじめに

対話を介した美術鑑賞の研究と実践を続けて15年以上になります。

きっかけはアメリア・アレナス（MoMAの元エデュケーター，1990年代後半～2000年代の来日当時，アメリカやスペインなどで鑑賞プログラムMIRA!を展開）の鑑賞法や，VTS（MoMAの元教育部長・現VUE代表フィリップ・ヤノウィンと認知心理学者故アビゲイル・ハウゼンにより1990年代に共同開発された鑑賞法）との出会いでした。オープンエンドの問いかけで人々のみる力や考える力を引き出す対話の場に，人が本来持つ力を呼び覚まし強化する場としての大きな可能性を感じたからです。

こうした鑑賞法をベースにした協働的な学びの場は今や日本を含めた世界各地の美術館や教育機関，さらには医療・看護・ビジネスなどの幅広い分野で広がり，観察力・批判的思考力・コミュニケーション力等を着実に育成しています。

さて現代の日常は，SNSなどの急速な普及とともに筆者がアレナスの鑑賞法に出会ったころとはだいぶ様変わりしました。生活に不可欠な情報・コミュニケーション空間ではありますが，誹謗中傷など他者への想像力を欠いた，いわば人間力の低下ともいえる問題が目立ってきました。

本書の執筆を思いたったのは，ネット空間とは異なる心や知の働かせかたを賦活する場としての，いわば美術を介したコミュニケーションの場のあらたな役割を明らかにしたいと強く感じるようになったからです。

ネットでの問題については，“有意義な時間Time well spent”（2014年に提示され後にグーグルやアップルのスクリーンタイム機能の実装等をもたらしました）の提唱者トリスタン・ハリス（元グーグルのプロダクトマネジャー）が，大手テック企業による注意をめぐる争奪戦に警鐘を鳴らしています。

スマートフォンユーザーの注意をめぐる争奪戦は，注意持続力の低下，（政治・社会的問題等をめぐる）二極化，テック依存，マイクロセレブ micro-celebrity（ネットやソーシャルメディア上の有名人）文化，さらにはメンタルヘルスの問題などをもたらし，真に注意を向けるべき問題や解決方法からわたしたちを遠ざけ，“人間のダウングレイド（格下げ）human downgrading”を引き起こしつつあるからです。

ここでは，注意の争奪戦がもたらす問題を，“わたしの意識のありかた”という観点から少し考えたいと思います。

注意とはそもそもどのような働きなのでしょう。それは，わたしたちの意識を何かに向かわせ，世界経験を可能にし，わたしたちの現実をつくりだす大切な心の働きです。重要なことは，個人の知識や経験を反映するため本来はそれぞれに固有の内発性をもっている点です。

しかし，争奪戦によって注意が外部から操作され続けるならば，内発性は損なわれ，ひいてはその人ならではの意識のありようや現実世界の捉え方も変容しかねません。本文であらためて述べますが，注意はわたしらしさの反映であり，わたしにとっての現実世界をつくりだすからです。

現代のわたしたちの注意は，プッシュ通知に喚起され，投稿，おすすめコンテンツ，ネット広告へと引き付けられる一方で，目の前の人や周囲の世界への配慮がおろそかになり，他人の立場を想像したり，物事をみつめなおしたりすることさえ妨げられがちです。拡散されたネット上の偽情報が現実（リアルな）世界における品不足を招き，あろうことか，SNS での誹謗中傷によって人の命が奪われてしまう事態さえ幾度となく起きています。

つまり，わたしたちはすでに，デジタルデバイスに接続された現実を生きているのです。

この本の目的は，現代におけるわたしたちの意識のありようや心の働かせかたを見つめなおしながら，美術を介した対話の場が普段とは異なる心と知のトレーニングにつながることを明らかにすることにあります。それは，ソーシャルメディアとは違うかたちで人間同士を結びつけ，さまざまな存在や多様な世界に出会わせてくれる美術の働きにスポットライトをあて，現代人に必要なツールとして美術を生かすことを提案することでもあります。

この本を読み進めるうちに，日々の意識や心のありようをみなさん自身が意識するようになり，美術を介した対話の場の現代における効用は何なのか，その具体的なイメージをつかんでいただければ，この本の目的は半分達成されます。

そして，この本を読み終わったころには，“美術と新たな形で向き合ってみよう”，“美術と対話の場を体験してみよう”，“美術と対話の場を（職場，教室，ワークショップなどで）ファシリテートしてみよう”，と一人でも多くの方が思ってくだされればこれ以上の幸せはありません。

そうした思いが，美術のあらたな意味での社会的活用を後押しする大きな力となります。図工や美術といった教科にとどまらずネット時代の人間力育成を目的とした中高生向けのワークショップや大学の教養科目，さらには組織における人材開発としての活用等，美術を介した対話の場がさまざまな文脈で生かされることを願っています。

Contents

1章

美術×対話がもたらす
世界への構えと心の働かせかた

知覚が変わる，わたしが変わる

みなさんは絵や彫刻をみながら他の人たちと語り合った経験をお持ちでしょうか。

この章では，意識のベースとしての“知覚”の働きにフォーカスしながら美術と対話の場が現代人にどのような効用をもたらすのかをみていきます。

まずは対話を介した美術鑑賞の簡単な紹介からはじめますのでご存知の方は以下の文章を読み飛ばしていただき18頁にお進みください。

対話の場を支える問いかけ

対話を介した美術鑑賞とはどのようなものなのでしょう。ヴィジュアル・シンキング・ストラテジー Visual Thinking Strategies（以下VTSと表記）の体験をもとにお話しします[1)]。

作品情報なしに互いに発言をしながら作品をみる協働的な鑑賞の場では，ファシリテーターが以下のような言葉がけや問いかけをしながら進行役をつとめます。

導入「時間を少しおきますのでよくご覧になってください」
→ 参加者：作品（あるいはスクリーンに投影された作品）をみることを開始

①「何が起きているのでしょう？」
→ 参加者：今自分にみえている作品をめぐって，感じていること，考えていることなどを自由に発言する

②「どこを(何を)みてそう思ったのでしょう」

→ 参加者：自分の発言の根拠が具体的にはどの箇所にあり，それがどのようにみえて(あるいはどのように感じられて)そう思ったのか，理由を述べる

※ファシリテーターはその個所を他の参加者にもわかるように指し示し視点の共有を図る

③「ほかに何か気づいたことはありますか？」

→ 参加者：再度みなおし，あらたにみえてきたこと，気づいたこと，感じたこと，考えたことなどを発言する，といった流れです。

ファシリテーターの問いかけ①は，原語が“What's going on in this picture?”なので日常的に使われる“What's going on?”の意味，すなわち，何が起きているの？　どうなっているの？　いったいなんなの？　といったニュアンスをもちます。ストーリー性のある絵の場合は「何が起きているのでしょうか？」が適当でしょう。しかし，静物画や肖像画など，しっくりこない場合は「今みえているものや心に浮かんでいることをお話しください」，「今感じていること，考えていることなどをお聞かせください」などといった言い方もできます。

問いかけ②は根拠にもとづく推論を促します。意見を述べた後に“何をみてそう思ったか？”を常に問われる経験は，具体的な理由をもとに推察や議論をすることを習慣づけます。

また，“何となくそう感じた”人は，理由を探すためにあらためてその個所をみますし，どのような人であれ根拠を自問する際に作品をみなおすため，観察力を高めることにも繋がります。

問いかけ③は，みればみるほどより多くのものを観察できる，あるいは，別の捉え方や考え方があるかもしれない，とのメッセージにもなっています。みる行為自体を持続させるとともに，美術が語りつくせない曖昧さや多義性をもっていることに気づかせる契機にもなります。それはVUCA（変動性 volatility・不確実性 uncertainty・複雑性 complexity・曖昧性 ambiguity）の時代における現実世界でも必要なさまざまな状況や問題に対する構えを促す問いかけともいえるでしょう。

以上，問いかけについて述べましたが，ファシリテーターのもう一つの役割は，さまざまな意見を受容するとともに議論の大まかな展開を適宜示しさらなる観察や思考を触発する点にあります。そのための方法として，パラフレーズ，フレーミング，リンキングが重要です。

対話の場を支えるファシリテーション

パラフレーズparaphrase（言い換え）とは，参加者の意見を注意深く聞いて内容をそのまま繰り返すのではなく，ファシリテーター自身が自分の言葉に置き換え，他の参加者に伝えることです。

発言者の表情をみながら行い，場合によっては「○○ということで良いですか？」と発言者に真意を確かめます。そこには，「わたしはあなたの話をこのように理解したのですがそれでよいですか？」との含意があり，相手の発言をしっかり理解したいとの態度表明になります。こうした態度は参加者が他の人の話を聞く際の構えにも影響を与えます。

また，特に学齢期の参加者にとっては，パラフレーズによってあらたな語彙や表現を学ぶようになるので言語能力を強化する目的も兼ね備えています。

さらに，パラフレーズの際に，発言者がどのような思考の働かせ方をしているかを簡潔に示すフレーミング framing を適宜用いることで，多様な着眼点の可能性，そして，そこからどのように考え想像するかをめぐっては様々なありかたがあることを参加者に示唆することも出来ます。例えば，「右と左が不均衡になっている点に着目して○○と考えたのですね」「この人物の視線の先の（描かれていない）世界を想像したのですね」といった形で，発言を言い換える際に思考のフレームワークを簡潔に示すやりかたです。

リンキング linking（関連付け）では，対照的な考え方が同時に提起されていること，初発の意見が深められてきたことなど，全体的な展開を適宜参加者に示します。ポイントを整理しあらたな意見をだしやすくするとともに，興味深い議論が生じていることを示し対話へのインセンティブを高める役割も持ちえます。

その他，ファシリテーターが注意すべき点として，発言者の貢献に対しどの意見も同価値のものとして中立的な態度をとること，発言の機会を参加者全員に与えるよう配慮することなども重要です[2)]。

日常と一線を画する場

さて，アレナスの鑑賞法やヤノウィンの VTS を初めて経験した際に，筆者が驚いたことがあります。それは，作品×ファシリテーター×複数の人間という極めてシンプルな仕掛けで生まれる場自体の面白さです。

その魅力は以下の 3 つのポイントに整理できます。

第一に，みることを意識的，且つ，持続的におこなう場が自然にうまれる点です。ある一定の時間（30 秒から 1 分程度）みた後に，言葉にする，人の意見を聞くというプロセスが入ることで，じっくりみる，みなおす，視野を広げる，より細かくみるというように，さまざまな見方が試みられるようになります。これは日常生活の大半で行っている，効率的でスピーディーな見方とは対照的なありかたです。いわば，スロールッキングモードへの切り替えが自然に生じるのです。

スロールッキングとは，シャリ・ティシュマン（ハーバード・プロジェクト・ゼロ上級研究員）の近著のタイトルにもなっている言葉です。彼女は，もともと高次認知（批判的思考，内省的思考，そして創造的な思考）を研究してきた人ですが，スロールッキング，すなわち，一目で判断せず時間を掛けじっくりみることが，批判的・創造的思考を生む母体になると主張しています。事物や事象に潜む複雑さ complexity に気づき，現実世界をより深く多元的に認識する上で重要な行為だからです[3)]。

従って，スルールッキングを実践することは，世界をどう捉えるか，そこにどのような問題を見出し，新たに何を生み出すのか，という一連の批判的・創造的構えに直結するものの見方のトレーニングになりえるのです。

第二は，感じること（感性）と考えること（知性）が同時にフル稼働する場，になる点です。異なる意見を聞くことは，自分とは違う感じかたや考えかたに触れる体験になります。そして，多くの場合，最初の感覚や考えがいつのまにか変化し，深化していることに気づきます。

わたしたちの日常は，来る日も来る日も情報の入手にはじまり，更新される情報のキャッチアップに追われています。そこでは，少し立ち止まり，疑問を呈し，思考をめぐらせるのではなく，情報をそのまま自分の知識としてしまいがちです。

また，ネット空間での炎上に象徴されるように，「ひどい人だ」，「とんでもない発言だ」などと，真偽はさておき，ネット上に伝播する情動をそのまま受け取ってしまうこともあります。

しかし，ここでは，「あなたはどう感じているのでしょう？」「あなたはどのように考えますか？」が常に問われると同時に，「他の人はどう感じ考えているのだろう？」と自然に耳を傾ける場が生じるのです。

第三は，何を発言しても受容される場，になる点です。これは，どの意見も同じように受容するファシリテーターの態度によってつくりだされています（後述するようにもう一つ大きな理由があると筆者は考えていますが）。

第二の点も考えあわせるならば，不用意な発言で攻撃されてしまうリスクがあるネット空間とは違う，互いの意見を受容しながら，みること・感じられること・考えられることを拡げ，深められる，自由で安全な場が自然に開かれるのです。

以上の3点から，美術と対話の場が，日常では十分に働かせる機会のないわたしたちの感覚器官や思考の働きをトレーニングし，ネット空間とは一線を画する他者受容の場となりえることが，少しイメージしていただけたのではないでしょうか。

さらに，この3点は，私たちの意識のベースとしての知覚の変化に関わっている点が重要なポイントとなります。

意識のありようを変化させるメカニズムを明らかにする意味で，次の項から順を追って考えていくことにしましょう。

フラットな関係性が生まれる

知覚の変化についての話の前に，VTS が齎す作用について触れておきましょう。

VTS は，もともとは，観察力，批判的思考力，コミュニケーション能力の３つの能力育成とセットで語られることが多かったのですが，人間関係への作用も同じぐらい重要でした。

実際，学校との連携で VTS が実施されはじめた当初から，クラスでの人間関係が変わるとの報告が教師からもたらされたそうです。例えば，普段はあまり目だたない子でも，その発言を契機にクラスのみんながその子の良さに気づくようになる，また，あまり自信のなかった子にも自尊心が芽生えるといった事例です。

筆者も実践の度に（VTS などを援用しつつ独自の鑑賞法を行っています），そうした場のありようを実感しています。子供や大学生のみならず社会人も同様です。例えば，同じ部署で働く方々を対象に鑑賞を行ったとき，上下関係のないフラットな立場からの発言が自然とみられました。上司と似た作品の捉え方をしていることに部下が親近感を覚えたり，あらたな人間的側面に気づいたりするなど，階層的な組織の人間関係にゆらぎや変化がもたらされるからです。

そもそもフラットな関係性は，先述のように，どのような意見に対しても真摯に耳を傾けるファシリテーターの態度によって導かれています。

しかし，ほかにも大きな理由があると筆者は考えます。

それが，美術と対話で生じる知覚の変化です。

知覚を３つの働きとして考える

対話を介した鑑賞の場に参加した人はさまざま感想を持ちますが，共通する根本的な経験として，知覚の変化があります。

まずは，ごく簡単に，知覚を定義することからはじめましょう。

ここでは，①何かに注意を向ける②感覚器官（視覚，聴覚，触覚など）を介し何かを受容し感じる③何かに形や意味づけを与える（分別やラベリングの働き），の3つの働きから成り立つものとして考えてください。

もちろん現実には瞬時に絡み合って働いています。しかし，その働きを分析的に捉えるために，注意にはじまり，感覚器官を通じて外部の事物から何らかの触発を受け（情報処理的にいえば刺激の入力），そこに何らかの形や意味を認めるという流れで考えようということです[4]。

さて，この意味づけ（③）に作用するのが知識や経験です。身近な例としてこどもと大人のやり取りをもとに考えてみましょう。

きらきら光るもの，動くものなど，幼児は自分が惹かれるものに注意を向け，「あーうー」などといいながら嬉しそうに指さします。すると，母親なり，近くの大人が，「あー，ブーブーだね」，「はっぱさんが揺れているね」，「ワンちゃんが嬉しそうだね」と応じることになります。

こうしたささやかなやりとりには知覚学習の始まりをみてとることができます。キラキラした何か，動きている何かに，形（他と区別できるある特定の形）があり，ブーブー（車）やはっぱさん（葉）という名前があり，さまざまな感情をもっていたりいろいろな動きをしたりすることを幼児は学んでいくからです。

先天盲患者の方は，開眼手術後，混乱した感覚印象しか得られず事物を知覚することに困難を覚えるとの報告があります[5]。知覚の成立には感覚器官の正常な働きのみならず，事物に形や意味を与える，多くは言語を介した学習の必要性を示す事例といえましょう。

知覚をめぐる学びは，学校や社会でえられる知識や直接的間接的経験の積み重ね，さらには本・テレビ・インターネット等からの情報によって継続します。日常の場面でさまざまなものを瞬時に意味づけ知覚できるのは，知らず知らずのうちに蓄積された学習成果なのです。

美術×対話で知覚世界の変化を経験する！

さて，わたしたちは通常自分の知覚世界を他人も同様に知覚していると想定しています。日常生活における事物は，実用性の観点からほとんど一義的に意味づけられているため，多くの場合それで問題はないでしょう。

しかし，対話を介した鑑賞の場では，他人との違いに驚くとともに，実にさまざまなレベルで知覚世界の変化を経験するようになります。

例えば，他の意見を聞いて「そんなものがあったのか」とこれまでみえていなかった事物が突如視野に入ってくることがあります。これは，人によって注意が向かうところが違うことに由来します。注意はその人の興味や関心，これまでの経験や知識などを反映するからです。

あるいは，「あの部分をそんな細やかに捉えているのか！」といった感覚のしかたをめぐる変化もあります。細やかな色味の違いを指摘されることで，当初気づかなかった色彩の豊かさを感じるようになり他の個所のみえかたまでも変わってくる場合があります。

また，殺風景な景色としかみていなかったのに対し，「愛する人を失った人の心象風景かもしれない」との意見を聞き，画面には描かれてはいない人物の存在が風景に重なり切なさを感じるかもしれません。現実の風景ではなく，心象風景かもしれない，との意味づけの可能性に気づくことで，みえかたや感じかたが変容するからです。

また，図１の，わたしたちに背を向け佇む画中人物について，「自分の来し方を振り返っているところだ」と思っていたところ，「これからどう歩むべきか考えあぐねている」との意見を聞き，画面全体の印象がガラッと変わり別の状況にみえてくることもあります。画中人物をめぐる異なる意味づけや認識（推理や判断を伴う心の働きです）に触れることで，人物の周りの事物や風景についてもあらたな感じかたや意味づけが生じ，人物が置かれた状況が全く別の可能性に開かれるからです。

図１　北脇昇《クォ・ヴァディス》1949年，油彩，カンヴァス，91×117cm
東京国立近代美術館蔵，Photo：MOMAT/DNPartcom

こうした知覚世界の変化は何を意味しているのでしょうか。

大事なことは，ああもみえる，こうもみえる，といったふうに単にさまざまな見方を楽しむのではない，ということです。なぜなら，この知覚の変化こそが，先述のクラスや職場内の関係性に一石を投じているからです。

どういうことでしょうか。

わたしと知覚世界は表裏一体

最初に知覚の定義を簡単に示したように，知覚は感覚器官から外界の刺激を受け意味づける営みとして捉えられます。すると，知覚する私が主で，知覚される世界は対象にすぎず，私は揺るぎない知覚主体であるかのように考えがちです。

しかし，本当にそうでしょうか。

ここで再度知覚についてもう少し深く考えることにしましょう。

わたしたちは，生まれてからこのかた感覚器官を介し外界からさまざまな刺激を受けながら暮らしています。それはあまりにも自然なのであたりまえになっています。

では，もし，外界からの刺激がいっさいなくなったら人はどうなるのでしょう。

音や光を遮断した環境に被験者を置く感覚遮断実験では，正常な人であっても15分ほどで幻覚などが生じるケースが確認され，通常の意識の状態を維持しづらくなることがわかっています[6)]。

つまり外界を感じ交わり続けることは意識の働きにとって欠かせない次元といえるのです。わたしたちの意識は，まず何かに注意を向け（多くの場合無意識ですが），感じ，知覚することで開かれます。このことは，目覚めの時にわたしたちが日常的に経験しています。例えば，カーテン越しの光を感じ台所からの物音にぼんやりと耳を傾けつつ，「朝がきた」ことを感知し，「自分の家ではなく実家に泊まりに来ていた」ことを思いだすときの徐々に意識が覚醒していく感覚を想像してみてください。光や音の感知⇒状況知覚（“朝だ”“自宅ではない”“実家にいる”）という，何かを感じ知覚するプロセスの始動につれ，意識はまどろみからクリアな状態へと変化し開かれるのではないでしょうか。

さらに通勤通学途中に考え事をしているときでさえ知覚はいわばバックグラウンド処理のように作動しています。だからこそ見知った場所で自分が移動していることを感知しつついわば安心して考え事にふけることができるのです。会話をする，行動するといった状況知覚を前提とする行為のみならず，ひとりで思考をめぐらせる，想像する，思い出す，といったさまざまな心の活動（それらがわたしたちの意識内容を構成します）自体が，世界を感じ知覚し続ける働きに支えられているのです（図2）。

図2　わたしの意識のベースにある知覚

さて，ここまでで，わたしたちの意識を支える根本的な次元として知覚の働きがあることを確認しました。

では一体，知覚世界とわたしとの関係はどのようなものなのでしょう。

20世紀の哲学者メルロ＝ポンティは，私に見える外界は私の身体がなしえることに重なる，と述べています[7]（領域は異なりますが，生物学者のJ.v. ユクスキュルは種に応じて異なる環境世界について論じ[8]，生態心理学の創始者J.J. ギブソンは，ある環境世界に生きる知覚主体と環境世界との不即不離の関係を明らかにしました[9]）。

どういうことでしょうか。

身近な例として赤ん坊と幼児を考えてもよいでしょう。まだ寝がえりができず，母親を目で追い，音のする方に顔を向けるだけの赤ん坊の知覚世界と，好きな場所に移動し自由に走り回れる身体能力をもつにいたった幼児の知覚世界は全く異なります。

赤ん坊もある時期から物を渡せばつかもうとしますが，物の性質に応じたつかみ方はまだできません。ハイハイをしてベッドの外の世界を自由に探索できない以上，手にできる物は少なく身体を介した物との関りが限られているからです。

一方，幼児は自由に動きまわり，さまざまな物を触ったりつかんだり，落としたり投げたりすることで，それぞれの物に適した扱い方を学んでいきます。さらに，歩いたり，走ったり，転んだりすることで砂浜とアスファルト，あるいは，上り坂と下り坂の違いを体感し自分を支えている大地の性質も区別していきます。つまり，身体を介した世界経験が豊かになればなるほど，さまざまな物や環境をめぐる理解が深まり，知覚世界も広がっていくのです。わたしの知覚世界とわたしの**身体がなしえること**の重なりは，幼少の頃誰もが経験するこのような身近な例からも想像できるのではないでしょうか。

こうした身体の次元をベースとしてさらに**心がなしえる次元**，すなわち，記憶，思考，想像等の働きの発達が重なり言語を介した学びを経ることで知覚世界は成長と共に広がっていきます。

さて，どのような性格（感受性含む）で生まれどのような環境で育ったかに始まりその後どのような経験を積み重ね知識を得てきたかは人によってさまざまです。その意味でわたしの知覚世界は，誕生から現在に至るまでわたしの固有性を映しだす世界であり続けています。

わたしと知覚世界のこうした表裏一体の関係から導かれること，それは，**知覚世界が変化するならば**，**わたしも同様に変化する**ということです。

次の項では，知覚世界の変化と共にもたらされるわたしの変化についてみていくことにしましょう。

わたしが変わる①／世界への構えが変わる

わたしの変化としてまず言えることは，知覚世界への構えが変わる，ということです。先に述べたように，日常生活においては，自分の知覚世界＝世界としてあまり疑うことなく暮らしています。しかし，他の人と同じ作品をみながら対話を始めたとたん，みえていた世界がゆらぎだし，私の知覚世界だけが唯一ではない，という単純な事実に驚くことになります。

知覚世界＝身体がなしえること，が根底にあるがゆえに，それは言葉を超えた身体的な気づきになります。違う見方を大切にしましょうと言われ，頭で理解することとは全く異なるのです。そして，知覚世界の変化に連動し，世界をみる自分の傍らにちょっとしたスペースを空け，別のまなざしの可能性を想定するようになっていきます。

実践の場では，こども，大学生，一般の方などどのような人でも，他の参加者の意見に徐々に興味津々になっていく姿を観察できます。これは，世界を知覚する際の私の構えが身体的次元から変化し，世界をともに眼差す他者を受け入れるようになった証左といえます。

ところで，アメリカの医師養成の文脈では早くからVTSを活用する動きがありました。家庭医療のレジデント（専門分野の教育課程にある臨床医）を主な対象としたあるプログラムでも参加者から以下のような知覚の変化が報告されています（2005年の論文[10]より）。

・人が意見を言うたびに自分がみていなかった新しいものがみえた。わたしの知覚は常に変化した。

・異なる眼は異なる対象に注目するので絵がより豊かになった。
・私の脳がパスした対象に他の人々が注意を向けさせてくれた。
　その間，絵は変わらなくとも絵の知覚は変化し続けた。

こうした言葉からは，広い視野からより豊かな知覚をもたらしてくれる存在として他者を捉えていることが窺えます。

同じ作品をまなざし，他者とともに世界を知覚する大切さや豊かさを体感し認識するようになることで，知覚世界への構えは自然に変化していきます。

わたしが変わる②／３フォーカスの知覚スタイルへ

さらに，「互いの考えにオープンに接し，異なる結論も受け入れた」「わたしたちは互いが観察したことに対しそれぞれに異なる知覚をしていた。人はみな独特なありかたで情報を分析する」との参加者の意見からは以下の３点をあらたに指摘できます。

１点目は，他者の異なる知覚・認識方法への気づきです。対話の進展につれ，注目点が異なるだけではなく同じことを観察しても違った意味づけをすること，そして，ある（視覚）情報に対して異なる分析をし，さらには異なる結論をも導きだす存在であることを理解するようになるからです。

２点目は，他者への受容的な態度です[11)]。これは，１点目や，先述の，他者がより豊かな知覚をもたらしてくれるとの認識から自ずと形成される構えでもあります。

３点目は，上述の２点との関わりで生じる対象知覚や認識の深まりです。絵（対象）は一義的に結論づけられず，異なる知覚や結論（解釈）さえもあり得るほど複雑で多義的な存在であることを体感し認識するようになるからです。

以上の３点をまとめるならば，対話を介して自然に働きだす知覚を，図３のように３方向へと注意が向かう知覚スタイルとして示すことができます。

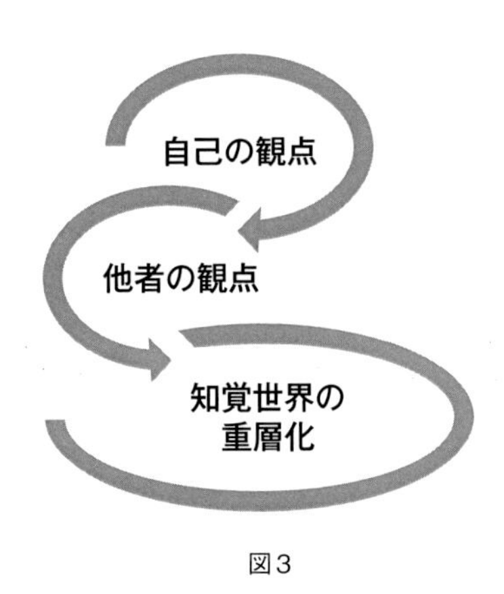

図3

自己の観点（何がどのようにみえ何を感じ考えたか）に向かうフォーカス（これは一人で鑑賞しているときのありようです）に，他者の観点へのフォーカスが加わることで，対象へのフォーカスが重層的になるありかたです。

自己の観点は，他者の意見を聞くたびに，修正されたり，拡張されたり，深められたりするがゆえに作品知覚を重層化させます。しかし重層化のプロセスは完結には至りません。想定外の見方や異なる結論をも含み込んだ開かれた知覚世界に留まるからです。これは常に別の可能性を想定しつつ対象を注意深く捉えようとする知覚スタイルともいえます。

さて，ここで指摘した３方向への知覚スタイルは，EI（感情的知性）の提唱者ダニエル・ゴールマンが，現代のビジネスリーダーのみならず，どのような人にとっても重要と考える，自分の内面・他者・

外界の3方向へと注意をバランスよく振り向けるありかたにも重なります。デジタルデバイスに囲まれた生活においては3方向への注意が困難になりつつある[12]，との彼の指摘は，3フォーカスの知覚スタイルをトレーニングする場の現代における必要性を示唆しています。

また，この知覚スタイルは，カネヴィンフレームワーク（組織のリーダーの適切な状況把握や問題解決を導くための枠組み／デイヴィッド・J・スノーデンらが考案）でいうところの，複雑 complex な状況（問題）に対するアプローチと親和性があるのではないか，と筆者は考えています。

このフレームワークでは，状況や問題が以下の5つの領域に分けられています。その理由は，状況・問題の性質によって全く異なる観点からの対処方法が必要だからです（図4）。

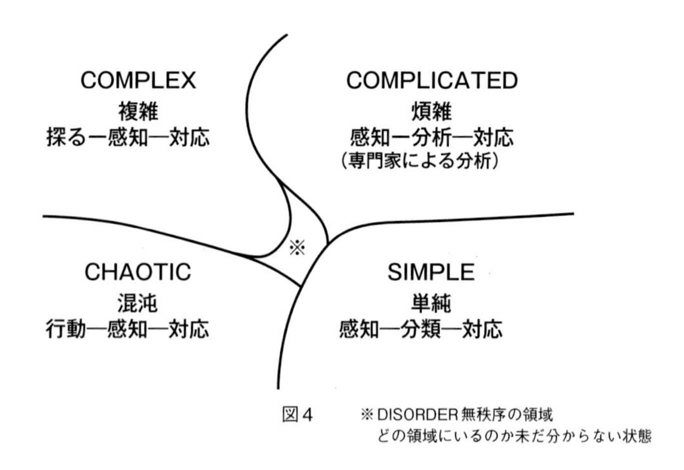

図4　※DISORDER 無秩序の領域
どの領域にいるのか未だ分からない状態

ここでは単純な simple 問題と複雑な complex 問題に注目します。単純な問題とは，原因が明らかなため，経験則にそってカテゴライズし，それに適したこれまでの良い対処法をとれば解決できます。3フォーカスの知覚スタイルでいえば，自己の観点（リーダーの知識や経験）へのフォーカスのみで処理できる状況といえます。

しかし，一見単純に見えたとしても実は複雑な問題であることが現代の特徴であって，知識や経験にそって即座に分類し対応するのではなく，まずは，精査し探ること probe（図4の complex の項の原語は probe-sense-respond）が必要とされています。具体的には，状況の推移を観察しパターンを見出したり，試験的に状況介入しどのようなパターンが現れるかを読み取ったり（感知したり）するなど，注意深く見極めていくプロセスが不可欠です[13)]。

またこの領域では，フラットで双（多）方向的なディスカッションの場を社内で設けたり，相異なる意見や多様な意見を奨励したりすることなども有効とされています。例えば，後者については，まずは複数のグループで同課題をめぐるグループ内ディスカッションをし，その後グループ間での意見交換（他のグループの結論をよく聞いたうえであえて批判的な意見を提起する）を繰り返すことであらゆる意見を比較検討しながらよりよい意見を練り上げることが例示されています[14)]。

無論，ビジネスで出会う世界は，作品世界とは全く異なります。しかし，世界の捉え方，つまり，即断せずまずはオープンに様々な見方（他者の観点）を探りながら注意深く世界を見極めようとするありかたは，3フォーカスの知覚スタイルに繋がるのではないでしょうか。

さて，美術作品に対しては，専門家の解釈が正しい答えだと思っている方もいらっしゃるかもしれません。確かに美術史家は，作家や注文主の意図，思想的背景，そして作品が生み出された歴史的・文化的・社会的な文脈なども踏まえさまざまな見地から解釈を練り上げるため，現代のわたしたちには知りえない奥深い意味に気づかせてくれます。

しかし，そうではあっても一つの解釈であることに変わりはありません。専門家同士で見方は異なりますし，そもそも，多くの作品は，言語化しえないゆえに特定の素材に働きかけ技により造形され，みる人の感覚に差し向けられているわけで，そこには一義的な解釈はありません。

どのようにみてどのような意味を見出すかは社会や時代などに応じて変化するという点でも美術は開かれた存在です。先のフレームワークでいうならば，まさに，複雑な問題に相当し，即断せずさまざまな観点から見極めることが必要な対象なのです。

複雑な作品世界をめぐり，多様な見方を共有し協働して意味を探求する鑑賞法を実践することは，現実の複雑な状況に対応する際にも必要な3フォーカスの知覚スタイルを定着させることに通じます。

では実際に美術をみることで訓練された力を転移 transfer し，他の文脈で生かすために有効な方法はあるのでしょうか。

ひとつには転移させたい領域における問題や課題をめぐり同様な訓練をすることです。

あるコンサルティングファームが，美術作品で VTS を行い，実際にファシリテーション役も実践してもらった後で，ビジネス上の課題をめぐる VTS 的な対話の場を設けていることはその具体例として考えられます[15)]。

あるいは，美術と対話のセッションをある程度重ねたのちに，どのような注意の働かせかたや見方・考え方をしたかを振り返ってもらい，学生なら学業や日常生活の文脈で，ビジネスパーソンなら仕事の文脈で，そうした働かせ方や見方などが必要となる場面を具体的に思い浮かべてもらい，参加者自身に別の文脈での転用を想像させることも有効です[16)]。

神経可塑性の観点，すなわち，感覚運動器官への刺激や身体運動・心的活動によって脳は変化しえるとの最近の神経科学的な知見[17)]を援用するならば，美術と対話でトレーニングされる3方向の知覚スタイルは，脳内の神経回路を再編成 rearrange し，脳をあらたに配線 wire[18)] することへと繋がり，現実世界やさまざまな状況をめぐる知覚や認識のありかたを変えていく力になります。

わたしが変わる③／知覚のセルフアウェアネス

ここまでは，知覚の変化がわたしをどのように変えるのか，ということを，自分から世界へのベクトルでみてきました。世界を知覚する際の構えと知覚スタイルの変化という2つの側面が明らかになりました。

これからは，自分に向かうベクトルを考えたいと思います。作品知覚をする際に知覚の変転の例を最初に書きましたので，既に読者のかたはお気づきかもしれません。

そこでは，異なる意見をもつ他者がいることで，ふつうは無意識に働かせている，注意の向け方，感じかた，考えかたなどを意識するようになります。

「私にはこの人物の眼にわずかだが希望の光があるような気がしてならない」「どうもこの部分の色味がわたしにはしっくりこない」「自分はこのような感じ方（あるいは考え方）をする人間なのか」「あの部分がそう見えたのは，かつて母から聞いた話を思い出したからだろう」「少し見方が単純すぎたかな」「こんな表情をしている人物は○○に違いないと思ったが偏見かもしれない」といった例のように。

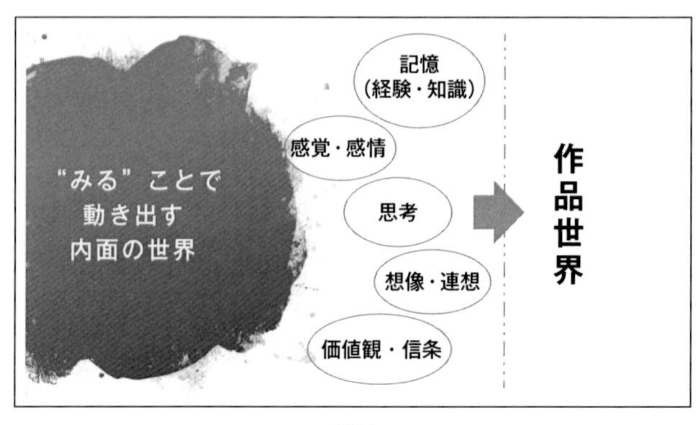

図5

人は図5のように，それぞれの感受性，価値観，そして思考方法などを反映させ，何かを思い出し，連想し，想像しながら作品を知覚しています。しかし，一人で鑑賞している際にはあまり意識されることはありません。

他者と対話をしながら鑑賞することの大きなメリットは，こうした領域を意識できることにあります。

ビジネスの領域でもセルフアウェアネスが重視されています[19)]。そこでは，自分の強みや弱み，感情・欲求・価値観の地平，そして自分が他者に与える影響などを自己認識したり他者からのフィードバックで認識したりすること，として捉えられることが多いでしょう。しかし，意識の根底にあって，わたしを映しだしている日々の知覚の次元から考えることも重要ではないでしょうか。

なぜなら，知覚とは，推察や判断を伴うさまざまな事物をめぐる認識を生じさせるおおもとの営みだからです。例えば，現場で生じている問題をどうみるかという仕事上の問題に対しても，また，今自分が置かれている状況をどのように捉えるかという人生における問題においても，知覚にもとづく心の働きが根底にあります。

美術と対話の場は，こうした知覚の働きに意識を向け，そこに作用している自分固有の領域（記憶，価値観，信条，感受性，思考の癖など）を振り返ることのできる貴重な機会として位置付けられるのです。

ところで，セルフアウェアネスによって気づく強み，弱みという視点を，知覚の文脈でとらえなおすとどのようなことがいえるでしょうか。

強みとしては，人と違う感受性や信条・価値観，その人固有の知識や経験に基づく物事の捉え方などが想定されます。

例えば，山登りの経験が豊富で植生に詳しい人は，「ここにこのような植物が生えているから高度は○○ぐらいのはずなのに，なぜこの人はこんな軽装でいるのだろうか」と考え，山登りを意図したのではなく「人生に疲れあてもなくさまよいここにたどり着いたのでは」と解釈するかもしれません。あるいは，写真が趣味の人は「写真的には，アンバランスな構図で下手くそだな。でも，あえてその不安定さによって何かを訴えたかったのかもしれない」と考えたりするなど，その人独自の観点から作品を捉えられる強みがあります。

では，弱みという部分ではどうでしょう。

捉え方が偏っていた，偏見や固定観念を持っていた，見方が雑であったなど，対話の場ではじめて気づくことになる多くの事例をあげることができます。

これに関連し想起されるのは，知覚術セミナーを行っているエイミー・E・ハーマンの言葉です。

彼女は，FBI や企業の幹部などのプロフェッショナル向けに，独自なかたちで知覚術を磨く美術鑑賞プログラムを行っていますが，近著では日常的な知覚のありようをオートパイロットという言葉で表しています[20)]。

それは，日常生活の中で習慣化され無意識に働くようになった知覚のありかたであり，時にみまちがい，見落とし，偏見，恣意的な想定などを生じさせる原因にもなります。

勿論，そうしたことは日常的に誰もが経験しています。しかしそれが，トップの決断，犯罪現場の検証，病気の診断，更には，災害に対する安全性の想定などといった文脈で起きたならばどうでしょう。普段無意識に働いているがゆえに見過ごされがちですが，決定的に重要であることは一目瞭然です。

オートパイロットとなった知覚こそが誰もが持っている弱みなのです。

まとめ

本論に戻りましょう。美術と対話の場でできることは，第一に，知覚世界への構えを変えること，第二に，自己，他者，世界の3フォーカスの知覚スタイルを訓練することで，自分の見方を相対化しながら深め，幅広い見地から世界を捉え認識できるよう導くこと，第三に，知覚という，わたしを映し出しわたしの世界認識を生じさせるおおもとの領域のセルフアウェアネスをもたらすこと，がポイントとなります。

さて，以上のことは，教育においてもとても重要な視点でしょう。令和元年12月の中央教育審議会初等中等教育分科会では，新しい時代において学校教育で目指すべき資質・能力のひとつとして，自立した人間として主体的に判断し多様な人々と協働しながら新たな価値を創造できること[21)]，が示されました。

主体的な判断とは，根本的には，日々の知覚という日常的な営みを基礎に形成されることに思いを致すならば，他者の知覚との関係で自分の知覚のありようを意識し，捉えなおし調整していく時間を持つことがいかに重要かは明らかです。

鑑賞が図工や美術の授業で重要だといわれていても，授業時間が削減されるなか制作との兼ね合いもあり十分な鑑賞の時間をとることはなかなか難しいでしょう。

しかし，朝の鑑賞タイムという形でこうした時間を捻出している動きも実際にあります。アクティブラーニングを推進しようとしている教育現場において，授業外の少しの時間を使って美術と対話の場を設けることはそうした教育の方向性を下支えする力強い活動になるはずです。

これは会社などどのような組織でも可能な試みでしょう。新入社員とのコミュニケーションを円滑に進めるためにボードゲームがはやっているようです。しかし，画像・プロジェクター・スクリーンがあり（用意ができない場合はスマートフォンでの画像共有という方法も良いかもしれません）人が集まりさえすれば同様な手軽さでいつでもどこでも美術と対話のミニセッションを行うことができます。

互いに尊重しあえる場をつくりだし，状況判断・課題発見などのおおもとになる知覚の働きを訓練し，さらにはより深い次元でのセルフアウェアネスを自然に促すことができる美術と対話の職場での効用は計り知れないのではないでしょうか。

2章

ネット時代における
美術×対話のあらたな役割とは？

“注意”，“時間／身体”，“承認”の3ワードからみるネット空間 vs 美術×対話

前章では，美術と対話の場が知覚の変転という，日常ではあまり起こらない経験を生じさせるため意識のありようや心の働かせかたに変化をもたらす，とのお話をしました。

具体的には，物事を知覚し認識する際，他者の異なる観点を自然に受け入れる態度が生まれること，他者の観点を受容しつつ重層的に対象を捉えようとする3フォーカスの知覚スタイルが生じること，そして，知覚のおおもとにある自分らしさや欠点などを意識できるようになるといった変化です。

意識とは○○する自分を意識するという再帰的働きが特徴です。美術と対話の場では，そうした意識の再帰性が常に働き自分を振り返る時間が生まれることで，よりよい世界認識や深い次元でのセルフアウェアネスがもたらされます。

さて，この章と次章では，スマートフォンやパソコンとともにある日常をあらためてみつめなおしつつ，ネット空間におけるわたしたちの意識や心のありようを分析します。そして，そこで浮かびあがるネガティブな側面に対して，美術と対話の場，そして，美術というツールにできることを明らかにしていきます。

まずは，この章で，注意，時間／身体，承認の3つのキーワードを切り口に，ネット空間における“わたし”のありようと美術と対話の場の役割をみていきましょう。

1節 “注意”をキーワードとして

1章では，“注意”を，知覚を導く最初の部分，人間の意識の入り口として論じてきました。ここでは，“わたしの注意”をとりまく現代の状況を明らかにするために，過去の注意をめぐる議論を参照しながらより広い視野で注意をとらえなおします。

“注意”はどのように論じられてきたか？

1971年，先進諸国が情報化社会に移行する時期に，大量の情報が人間の注意力を消費する現状に目を向け，情報の豊かさは注意の貧困（欠乏）scarcityを生む，と述べたのは後にノーベル経済学賞を受賞することになるハーバート・サイモンでした[1]。溢れゆく情報に対し人間の注意力には限界があること。すなわち，希少な資源として注意が認識されることで，効率よく情報入手し注意を適切に配分することがいかなる組織にも求められる課題とされました。

その30年後，トーマス・H. ダベンポートらは「アテンションは，銀行口座に貯めるお金よりも貴重な通貨になってきた。……事業家の問題はアテンションの方程式の両辺に存在する。消費者，株主，従業員，その他の人々のアテンションをいかに捉え維持するか……事業家自身のアテンションをいかに配分するべきか。この配分が上手な個人や企業は成功し，うまくできなければ失敗する。アテンションを理解し管理することこそ，事業の成否を決める最も重要な要素だ」（引用文中の略は筆者）と述べ，注意の経営管理 attention management というあらたな視点をビジネスリーダーに提示しました[2]。

大枠で示されたのは，マネジメント側として，注意を払うべき対象や目標を適切に絞り込みその方向性を常に意識するとともに，自らに向けられる注意を適切に管理すること，従業員の注意を捉え動機づけや方向付けを行うこと，そして，消費者の注意を引き付け管理することでした[3]。

ここで注目されるのは，自己の注意のマネジメントのみならず，従業員（社内）・消費者等（社外）の注意をいかに引き付け維持するかという，いわば他者の注意をめぐるマネジメントの重要性があらたに明示されている点です。

特に消費者の注意については，当時，最もホットな注意をめぐる市場としてインターネット上の電子商取引が成立していた（1990年代半ばごろに誕生）ことが背景にあります。

電子商取引においては注意の獲得が死活問題であり，“個別化”された（それぞれの顧客に応じた）マーケティング手法が注意獲得のカギとなる[4]，との彼の指摘は，まさに現代の電子商取引（Eコマース）にも当てはまります。

昨今ではAIの活用によって，消費者の属性，購買履歴，ネット上の行動等のビックデータ分析にもとづく個別化された接客やリコメンデーション（おすすめ）などが追求されるとともに，顧客のセンス（テイスト）を反映するリコメンデーションさえも可能になってきたからです。例えば，センスを学習できるAI搭載のアプリでは表示された画像からユーザーが好きなものを選ぶことでユーザーのセンスをAIが学習しそれにあった商品をレコメンドするといったように，人によって異なる感覚的側面に踏み込んだ個別化が試みられています[5]。

注意は希少な資源である，とのハーバート・サイモンの指摘から約半世紀。現代のネット空間は，テクノロジーの進歩とともに，希少な資源としての消費者の注文をめぐる競争がなお一層激しく繰り広げられる舞台であり続けています。

さて，こうした流れを振り返ったうえで，“注意”をめぐる全く別の観点からの議論に注目したいと思います。それは，消費者としての“わたし”の側に立って注意をめぐる競争が何を齎すのかをあらためてみつめなおす立場です。そこでは，“わたし”を支える大切な領域として“注意”が位置づけられています。

最近の動向としては“はじめに”で触れたトリスタン・ハリス[6)]が有名ですが，こうした流れの一つの原点ともいえるフランスの哲学者ベルナール・スティグレールの議論（ダベンポートらの著書の数年後に世に出された『象徴の貧困』をもとにします）を振り返りながらこの点を考えていきましょう。

わたしの記憶を反映しわたしの未来をつくる注意

そもそも，“注意”という，何かに向かう意識の働きは，これまでの経験や知識からなるわたし固有の記憶を無意識に反映した対象選定です。それは同時に，対象，つまりあらたな何かを求めようとする張り詰められた期待に支えられている点が重要です。私たちは，注意によって，自分自身について学ぶとともに，今の自分とは異なる何かへ向かうことが可能となり，他のものへと変化していかれるのだとスティグレールは指摘しています[7)]。その意味で，わたしとは，常に未知なもの，他なるものへと開かれつつ生成するプロセスといえます（図6）。

図6

読者の皆さんにも以下のような経験があるのではないでしょうか。

これまでの交友関係にはなかったような人に偶然出会う。たまたま目にした番組や記事で自分には全く関心がなかったトピックに触れる。知人に勧められ気乗りしないながらもある本を読み始める，あるいは，ある活動に参加し始める。そうした日々の些細なきっかけからある対象と出会い，初めはあまり関心がなくともやがて何かが自分の琴線に触れその対象に注意を注ぐようになる。最初の印象に変化が起き，全く異なる環境で生きてきたその人の来し方を想像したり，意識の外にあった事柄に対し強い関心を抱いたりしている自分に驚きを感じる。そして，以前とは違った心の持ちようをしている自分，あるいは，少しばかり異なる世界の見方をしている自分に気づくといった経験です。

つまり，“わたし”とは，ある本質を持つ存在というよりは，常にある可能性へと開かれつつ，成長，生成するプロセスなのです。何かに注意深く意識を向ける行為はそうしたプロセスを主導し，わたしを別の可能性へと向かわせるうえで大きな役割を担っています。

一方，斎藤環氏は，現代の若者が自身の伸びしろや変化（成熟）へのリアルな感覚をもちえず，自分が変化することを断念していると指摘しています[8)]。来るべき未知の自分を想像し得ないことは，精神の健全さを保ちながら生きていくうえで見過ごせない状況ではないでしょうか。

ネット空間で消費されるわたし？

さて，スマートフォンやパソコン上では，さまざまなおすすめ情報やネット広告が常時私たちの注意を引き付けようと待ち構えています。こうした状況は“わたし”に何を齎しているのでしょう。

スティグレールは，消費者（ネットユーザー）がネットワークの機能的要素に組み込まれることで，消費すると同時にネットワークにより消費され使い果たされてしまう，と指摘しています[9]。

具体的にどのような状況を意味しているのでしょう。

ユーザーのネット上の行動，すなわち検索・閲覧・購買履歴や広告への反応などはすべてサーバーに残ります。個々のウェブサイト内でのユーザー行動の追跡も可能ですし，複数のサイトにまたがるユーザー行動データが収集されることもあります。そうして日々蓄積されるデータは遂次解析されターゲット広告やおすすめ記事・動画などへと反映されていきます。

となると，ネットを使えば使うほど興味・関心，趣向などによる，消費者としてのわたしのプロファイル化が進み，注意を向けるべき対象（おすすめの商品・動画・記事など）はさらにカスタマイズされていくことになります。換言するならば，わたしに向けられたネット広告やおすすめ記事は，いわば，先回りして，わたしの欲望自体をつくりあげ，**記事や商品をクリックする→別のあらたな欲望の対象が表示される→クリックする**というサイクルがネット上で繰り返されることになるのです。

カスタマイズされた情報は消費者としてのわたしに相関しており，わたしという存在全体に関わるわけではありません。しかし，ネットで過ごす時間やネット上の表示を目にする機会が増えれば増えるほど，消費者としてのわたしが大きくなり全体としてのわたしに近づいていくのではないでしょうか。

そのとき，自身の経験（記憶）をもとに，今の自分とは異なる新しい何かへと注意深く意識を向ける私は影を潜めてゆくのでしょう。

外部からの働きかけのみに注意が注がれ続けるならば内発的注意は弱められ，使い果たされ，そこに残るのは，単なる気晴らしか放心状態[10]なのかもしれません。

従って，“消費すると同時に消費される”という先の文章は，ネットを使い込むほど注意の経済に取り込まれ，内発的エネルギーが消耗されがちな状況を意味していると考えられます。

注意散漫な脳

こうした注意のありようはわたしたちの記憶にも影響を与えています。

記憶には作動記憶（短期記憶）と長期記憶がありますが，ネット空間では，競合しあう情報処理に追われ短期記憶に多大な負荷がかかっています。そのため，長期記憶をつくるうえで必要な精神の集中（知的あるいは感情的動機付けが必要です）をしづらくなっています。

精神の集中があることで，わたしたちはあらたな知識に注意を向け，既にある自分の知識と意味ある形で結び合わせて記憶することができます。しかし，ウェブを使えば使うほど集中力を生む前頭葉の神経回路の働きが衰えるがゆえに，パソコンから離れたとしても注意散漫な脳になり長期記憶が形成されにくい現状が指摘されています[11]。

現代人は，新たな知識を注意深くみつけだしわたし固有の長期記憶を組み替えつつ生きているのではなく，やがては消える短期記憶をフル稼働させ，更新され続ける情報処理に追われる他の誰かと似たわたしになりつつある，といえば少々悲観的に過ぎるでしょうか。

ではわたしたちはどうすればよいのでしょう。

ケアフルな共同注意の場をつくる

文学・メディア学専門のイヴ・シトンは，『注意のエコロジー』という著書（フランス語版 2014 年，英訳 2017 年）で，個人の注意のありようを，環境（例えば注意の経済が働く現代のメディア環境等）との関係のみならず，個人を超えた小集団による共同注意 joint attention との関わりでも論じています[12)]。

共同注意とはもともと生後9か月頃のこどもが親と同じ対象をみて（注意を向けて）親がそれをどのように感じ考えているのかに関心を持ち始める発達段階を指します。子の視線を親が追い，やがては親の視線を子が追う。親子の密接な関係の中で働きだす共同注意は，同じ対象（世界）を他者と共に眼差しその人がどのように感じ考えているかに興味を抱く人間のありようの原点を示しています。

わたしたちは綺麗な夕日や景色などを見た時に思わず「あれを見て！」と指さし，家族や友人の注意をひこうとします。何かを見て心が動かされたからこそ一緒に見たいのであって，そこには対象という第三項を介した人と人との情動的なコミュニケーションが生まれます（図7）。

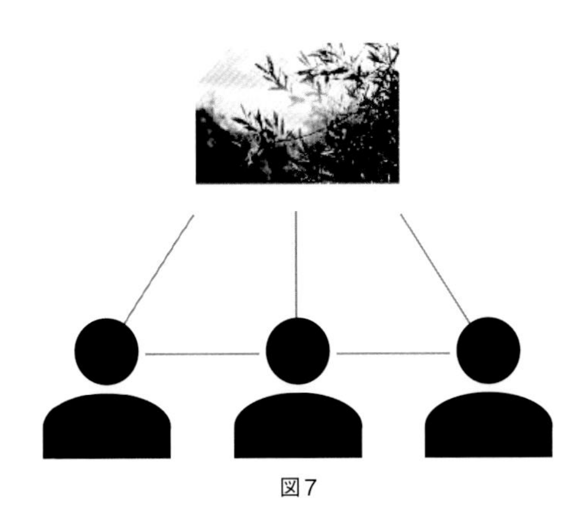

図7

また，教室や職場などで複数の人間が同じものに注意を向け互いの考えを交換し合うときに共同注意が働くこともあるでしょう。

ここで最近印象に残った例として，あるドキュメンタリー番組のワンシーンに触れたいと思います。その番組では文明との接触をもたない最後の人類とされる人々が映し出されていました。アマゾン川流域で，小集団で暮らす彼らは，川岸の向こうに文明化された人間の姿をみつけたとたん，皆一斉にそちらを指さし興味や不安が入り混じった様子でみつめつつ，隣り合う者同士で盛んに言葉を交わし始めました。

筆者の全くの想像（妄想？）ですが，「変な格好をしているな」「危害を加えてくるだろうか？」「手に持っているものは何だろう？」などと互いの思いを口にし，問いや答えを発しながら未知の存在について話し合っているかのようでした。

指差しながら話し合う彼らの姿は，環境の中から注意を向けるべき対象を見つけ，それが何なのか，自分たちにとってどんな意味を持つのかを共に考えることで，危険を乗り越え生きながらえたであろう人類の祖先の姿に重なって見えました。

人の成長過程で生じる共同注意であれ，人類の共同注意であれ，共同注意には２つの方向に向けられる“注意深さ”があります。

まずは心を奪われた対象や未知の対象などに対する注意深さ。そしてもう一つはその対象を他の人間たちがどう感じ考えているのかといった心の裡へと向かう注意深さです。

おすすめ情報や画像に注意を引き付けられること。インフルエンサーや自分がフォローする人が注目する対象に視線を重ねること。そうしたネット空間の注意のありようとは一味違った，ケアー care（配慮）に満ちた注意深さが共同注意の場では自然に生まれます。

複数の人間が，解説なしに，ある一つの作品世界に向き合う場をつくることは，例えるならば，未知の世界に共に向き合う共同注意の場をあえてつくりだすことといえます。そこには，聞き手と話し手が自ずと交替するような相補的な関係性や互いの感情や思考に注意深く耳を傾ける場が自然と生まれます。

ネット空間で注意をキャッチされがちな個人の状況を憂えるのではなく，環境と個人の中間項として小集団による共同注意の場を社会のさまざまな場につくりだしていくことがわたしたちの注意をケアーするための確実な一歩になります。

注意をエクササイズする

さて，美術作品を介した共同注意の場は注意深さや配慮に満ちた場をつくりだすだけではありません。

それぞれの注意の働きを触発し（第一点），注意の裏面にある私に向き合う機会を提供しながら（第二点），注意の働かせ方をトレーニングすることができるからです（第三点）。

第一点は，情報なしにまずはみることからスタートする場自体が，情報に取り囲まれた日常から一旦身を引き離せる場になることに起因しています。わたしたちが日々接しているネット空間は，文字情報であれ視覚情報であれ，ある一定の切り口，意味づけ，価値づけなどがなされた，いわば既にカテゴライズされ整理された世界です。

一方，作品は，一義的に規定しえるものがなにもなく，ある種の謎としてわたしたちの前に現れます。タイトルや解説文が与えられない以上，まずは注意の赴くままにみるしかない，との状況が内発的注意を誘発します。

第二点は，一人での鑑賞時は注意が向かう対象を意識するのに対し，対話の場では他者との対比で自分の注意のありよう自体が意識されることに起因しています。

それは，例えば，ある個所にこだわりを持って注意を向け続けている自分に気付いたり，ほかの人とは異なる感受性に気づいたりする，といったかたちで気づくわたしらしさの発見に通じます。

注意が私の経験や知識などを反映して働くものである以上，自分の注意を意識する場とは，その裏面にある自分に出会う，いわばセルフアウェアネスの場にもなるのです。

第三点の注意の働かせ方をトレーニングする，とはどういう意味でしょう。

実は，注意とは，集中 focusing，選択 selectivity，切り替え switching attention 集中の維持 sustaining concentration，転導性 distractibility，注意の強度調整 modulating the intensity of the attention，記憶プロセスへの注意 attention to memorial processes などの多様な働きから成り立っているとされます[13]。

様々な作品をめぐり一つとして同じ展開はない美術と対話のセッションを経験することは，こうした多様な注意のありかたを実践することに繋がります。

あくまでも自分にとって重要に思える個所に注意を注ぎ続けること（選択，集中，集中の維持），他の意見を聞き視野を広げて注意をさまざまな個所へと漂わせてみること（切り替え，転導性），セッションが進むにつれそれぞれの個所への注意の配分や強度を調整すること（注意の強度調整）などを自然に働かせることになるからです。

前章でも述べましたが，神経可塑性の観点からみるならば，こうした場で働かせ訓練された注意のありようは現実世界でも役立つことが期待されます。日常であれ，仕事上であれ，様々な事象や課題に対し，経験や知識に裏付けられたわたしらしい注意のありようを生かしつつ，同時に，視野狭窄にならずに柔軟に多様な形で注意をコントロールしながら物事を捉えることに繋がりえるからです。

注意がキャッチされがちな状況だからこそ，内発的な注意を働かせることのできる場を確保し，わたしの注意のありようを意識し，同時にしなやかにコントロールできる機会をつくることが今求められています。

2節 “時間／身体”をキーワードとして

外的時間と内的時間

さて，ここでは視点を変えて，現代におけるわたしのありようを，“時間と身体”という側面からみていくことにしましょう。

クロノスとカイロスというギリシャ語があるように，時間には2種類の時間があることが古くから認識されていました。前者は計測可能な物理的な時間であり，後者は質的に意味づけられ感じられる時間です[14]。客観的な時間と主観的な時間といってもよいでしょう。

ここでは時計によって測れる客観的時間を外的時間，人の内側で感じられるそれぞれの意識の流れとしての時間を内的時間として呼ぶことにします。

歩きながらのスマホ，座っていても，寝転がってもスマホ，個人差はもちろんあるにせよ，ディスプレーを眺める時間はよほど自制しない限り，増えこそすれ減ることはないのかもしれません。

アプリやポータルサイトで更新され続けるニュースやSNSの投稿にしても，私たちの内的時間とはお構いなしに更新され発信されるわけで，私たちの“今”は，通知音などの外的時間に侵食され細切れになった状況です。

少しでも間が空いてしまうとスマートフォンを手にすること，そして，見ない間に進行したLINEのキャッチアップ等に追われることなど，スマートフォンと共に生きる日常はただでさえせわしない現代人の時間感覚に拍車をかけています。

外的時間への抵抗

せわしない時間感覚は都会で感じられる時間として捉えることもできます。

今から一世紀以上も前のこと。19世紀後半のパリは第二帝政下の都市大改造によって，中世的な面影を残す町から，美しい眺望や街並みをもつ壮麗な大通りが印象的なヨーロッパ屈指の近代都市へと変貌していました[15)]。

図8　エドゥアール・マネ《温室にて》1878-1879年
油彩，カンヴァス，115×150cm
旧国立美術館蔵（ベルリン）

この絵はちょうどそのころに描かれています。

パッと見たところ，着飾った女性の姿に目が行くかもしれません。表情はどうでしょう。なぜかぼうっとした表情を浮かべているようにもみえます。

当時のパリが，百貨店，カフェ，レストラン，そして劇場などが立ち並ぶ消費の中心地になり，ウィンドーショッピングやマンウォッチングも楽しめる視覚的刺激に溢れた，いわば，現代都市の先駆けの地であったことを思い起すならば，二人がいる温室にも意味がありそうです。

温室に入ったとたん，都会の喧騒は消え去ります。間断なく注意を惹きつける街中の景色が，植物が織りなす緑のヴァリエーションへと転じた時，視神経の緊張は緩み，吸気と共に入り込む植物の匂いに満たされるのではないでしょうか。対象との距離なくして成り立たない視覚とは異なり，嗅覚は身体に直接入り込みます。だからこそそれは，外へと張り詰められていた意識を今ここに在る身体の内側へと向かわせます。

近代化と共に変化する当時の知覚をめぐっては，生産性や効率性に繋がる注意のありようが職場や学校で必要とされるとともに，消費者として広告や新商品へと絶えず注意を向ける知覚モードが求められていた，との指摘があります[16)]。そうした時代背景も踏まえるならば，この女性の顔は，外界への注意から解放された表情にもみえてきます。

この絵の男性も，右目では女性のほうに向かう視線をみてとれるのに対し，左目は暗く沈みこんでいます。外に向かう意識と自身の内へと向かう意識が拮抗しているのか，あるいは，外から内へと転じる狭間なのかもしれません。

いずれにせよここには当時の社会で要請されていた意識のありようへのアンチテーゼが示唆されているのではないでしょうか。それは夢想や気散じといったかたちで，外的時間を逃れ自己のうちへと揺蕩う意識のありようといえます。

モネの睡蓮と内的時間／身体

さて，読者の皆さんにとってもお馴染みのフランス印象派，モネの晩年の作品も都会における知覚や意識との対比で捉えることができます。

パリのチュイルリー公園にあるオランジュリー美術館を訪れた方もいらっしゃるかもしれません。館内入ってすぐの通路を抜けた場所にある大きな楕円形の部屋（4 枚の大画面が飾られた部屋が 2 室あります）。その壁面に連ねられた睡蓮の大作は，まさに疲れた現代人の“神経をリラックスさせ”，“瞑想のための隠れ家”[17]をつくりだしています。

部屋に足を踏み入れたとたん，眼前には，楕円形の壁面に沿って睡蓮の浮かぶ水面が広がります。湿気や匂いを孕み，時に，風が渡るかのような水面では，水面下の世界も池の外の世界も何の別もなく存在しています。水面に映る，雲，空，そして池の周りの木々は，まるで水底から染み出し浮き上がってくるかのようです。

重力や上下の関係が揺るがされるからでしょうか。現実認識のための視覚は中断され，光や大気の微妙な変化，そして動きに満ちた筆触や豊かな色面に導かれ，みる人はみずからの感覚や想像に身をゆだねはじめます。部屋の形に沿って，歩いては立ち止まり，また，動きだす。みる人の動きがつくりだす自然なリズムは意識のうちに流れるそれぞれの時間を豊かに刻んでいきます。

池の外側を歩いて眺める現実世界とは対照的に，循環する水の世界の内側に置かれ，その世界に包まれるような位置に置かれることで，人は今ここにある自分の身体の輪郭をあらためて意識できるのではないでしょうか。パネルごとに表情を変える水面を眺めるうちに朝から夕への時間の経過や光と湿度の変化を感じつつ，想像のうちでそれぞれの内的時間が紡ぎだされていきます。

図9　クロード・モネ《睡蓮　柳のある明るい朝》部分，第二室
1914-1926年，油彩，カンヴァス，200×1275cm
オランジュリー美術館蔵（パリ），筆者撮影

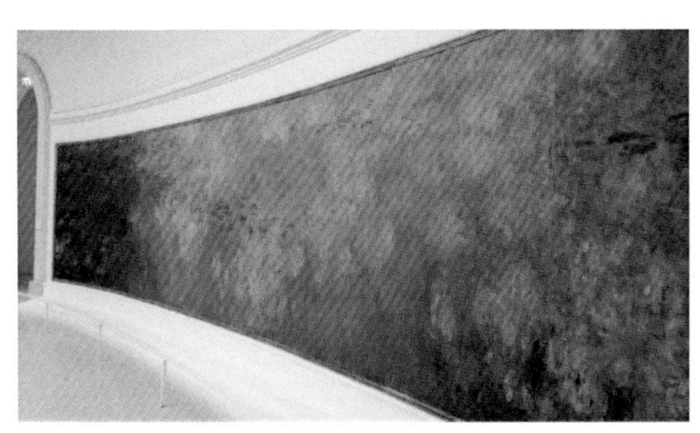

図10　クロード・モネ《睡蓮　雲》部分，第一室
1914-1926年，油彩，カンヴァス，200×1275cm
オランジュリー美術館蔵（パリ），筆者撮影

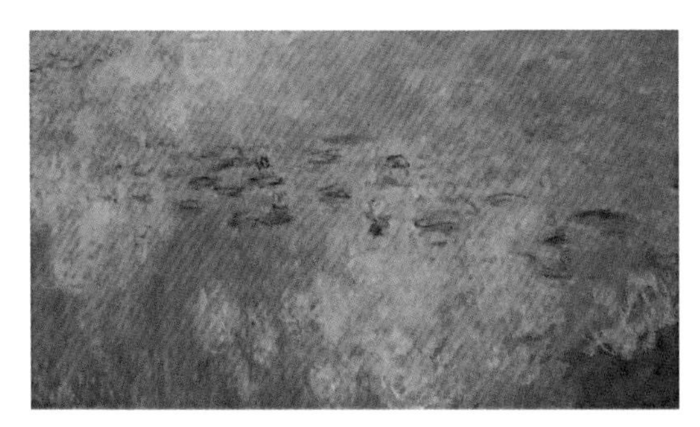

図11　クロード・モネ《睡蓮　雲》部分，第一室
1914-1926年，油彩，カンヴァス，200×1275cm
オランジュリー美術館蔵（パリ），筆者撮影

美術×対話でわたしの時間と身体感覚を取り戻す

さて，モネの時代から約一世紀以上を経て，デジタルメディアに囲まれた私たちの生活は情報への即応というかたちでより細かな時間的刻みに支配されるようになってきました。

19 世紀において，瞑想，夢想，あるいは，都会の刺激からの解放が求められたように，21 世紀の私たちは，ソロキャンプ，自然の中での子育て，職場やワークショップでの瞑想や座禅などといったかたちで，外的な時間規制から逃れる場を無意識に求めているのではないでしょうか。

美術と対話の場は，そのような時代において，それぞれに固有の時間を取り戻すための場になります。

「時間を少しおきますのでゆっくりご覧になってください」といったファシリテーターの呼びかけは，日常生活における刺激と反応の繰り返しからの解放の合図といえます。

そして，呼びかけを契機に注意の赴くままに画面に視線を投げかけ，何かを感じ，考えはじめる場とは，私のうちにある意識の流れに身を任せるとともに，**今ここに存在しているわたし**をあらためて感じる場にもなります。感じる，考える，想像する，といったわたしたちの心の働きの裏面には，わたしが今ここに在るという身体感覚の意識が同時に生じるからです[18)]。

翻って，スマートフォンやパソコンの画面に向き合い，あらたな情報，画像，動画を追うわたしたちは，瞬きさえ忘れ息も浅くなりがちです。画面のこちら側の身体感覚を置き去りにしたまま私たちの意識は画面の向こう側の刺激に満ちた広大な世界へと向かっています。

現代においてそれぞれの注意の赴くままに作品をみる，感じる，想像する，考えるという，いわば，極めてスローな心の働きに身を任せられる場をつくることは，今ここに在るわたしたちの身体や内なる意識の流れを取り戻せる時間をつくりだすことでもあるのです。

ミラーニューロンvs仮想空間

美術と対話が今ここにある身体を感じられる場になるという側面は，神経科学的見地からもいえましょう。ミラーニューロンの働きが確認されたことで，人は鑑賞において身体化された空間embodied spaceを生み出している，との見解が示されているからです[19)]。

ミラーニューロンとは，実際の身体運動時のみならず，その動作をみている際にも働く神経細胞のネットワークです。静かに作品に向き合っているようにみえて人は，描かれた人物の感情，身振り，絵筆の跡（筆触）等をさまざまな身体感覚とともにシミュレート（模倣）しながら経験しているのです。

身体化された空間とは，私たちの身体の外部で物理的に接続されたセンサーやゴーグルによって生み出される仮想空間とは全く異なります。人によって異なる感受性をもつ身体内部の感覚の上にその人自身の記憶や想像の働きなどが重なり合うことで，それぞれに固有の身体性を帯びた空間が生み出されるからです。

内的時間／私の身体／マインドフルネス

現代のネット空間では，今ここにある重々しい身体から抜けだし，ネット上のあちらの世界へと軽やかに移動しているわたしがいます。その身体は，時に，アバターとなって自分とは異なるキャラクターを演じていたり，変幻自在なキャラクターとの戦闘を他の参加者と共に遂行していたり，裏アカウントで実名ではいえないことを発言したりもします。

そこまでやっていないという人でもネット上の情報処理に追われる日常では，わたしたち自身がどう感じどう考えるかに時間を掛ける以前に，日々起きる出来事やそれについてのコメント，さらにはありとあらゆる事物をめぐる口コミなど，大量の情報を即座に得て既成の見方・判断で済ましがちです。そこでは，自分の見方・感じ方・考え方といった広義の身体性が介在することなく，データの取り込みのみが行われている状況といっても過言ではありません。

自分の内で動きだす，感覚，感情，連想，そして思考に集中する時間は，現代においては，わたしの意識の流れとしての内的時間を取り戻すとともに，今ここで感じ考えている私の身体の場所を確保するための大切な場として位置付けられます。

昨今では，精神的ウェルネスやマンドフルネスとの関係でも鑑賞が注目されています。それは，更新される情報のキャッチアップに追われ外的時間に支配される日常とは対照的に，今ここにあるわたしの身体を確認できるとともに，感じる，考える，想像するといった心の働きと共に流れる内的な時間に気づき静かに向き合うことを促してくれるからだと筆者は考えています。

3節　承認をキーワードとして

対話で内的世界を伝え合う

美術と対話の場で生じる内的時間に続いて，その中身，つまり，何がみえてどのように感じ何を想像し考えたのかという，心の働きが生み出だす内容にフォーカスしてお話しします。ここではそれを人の内側に生みだされる“内的世界”と呼ぶことにします。

わたしたちは日常的に，電車内で見かけた人に対しふと何かを思ったり，車窓から見える風景に何かを感じたりしています。しかし，意図的に心にとどめようとしない限りそれらは意識の流れとともに消えていきます。

では美術と対話の場ではどうでしょう。

対話の際，心のうちを言語化しようとすることは，自ずと浮かび上がってきたさまざまな感覚や思考を，事後的に振り返り，客観視し，あるまとまりとして捉えなおすことでもあります。そうしたプロセスを経てはじめて自分の感情や考えはより明確に意識されるようになります。

また，他の鑑賞者の意見を聞くことで，自分の感じ・考えていることが対照的なかたちで浮かび上がることもあります。

つまり，対話の場とは，移りゆく感情や思考の流れに形を与え，作品に出会うことで動きだした自分の心の世界を，他の参加者とは異なる“内的世界”(自分にみえている世界であり感じ考え想像している世界)として発見し，認識する場になるのです。

さらに重要なことは自分の内側の世界をなんとか言葉にした際に，ファシリテーターのみならず他の参加者からも，なるほど，といった肯定的な雰囲気で受け入れられたとき，大人でさえ嬉しさを感じることです。

これは，生まれたばかりの，いわば舌足らずの状態にある“内的世界”が他者に受け入れられ承認されている，との実感に由来します。

ネット空間での承認

一方，日常的なネット空間においては，フォロワー数，いいねの数のように他者からの承認は多くの場合数値化されています。また，いいねの数にしても，心からそう思われているのか，どの程度よいのか，はたまた，義理でしてくれたのかは知るよしもなく，人と対面しているときに直接感知できるような確証にはいたりません。

人生経験が長く，様々な機会に自己認識の機会を重ねてきた大人とは異なり，アイデンティティを形成する只中にあり，さらには，家族より友達との関係を優先する中高生や大学生などの若い世代の人たちにとっては，友達からの承認の有無は大人が考える以上に死活問題といえます。

他者からの承認の場が，表情や雰囲気を確認できる現実世界ではなく，ネット空間を中心に行われるようになるならば，心の平穏をなかなか得られないのが実情ではないでしょうか。

令和３年度の内閣府調査では中学生のスマートフォン所持率（子供専有）は９割に達し，その用途の約８割が投稿やメッセージ交換になっています[20)]。

皆の目に触れる場にその時々の出来事や気持ちを投稿することには，自己表現に留まらず，いいねやコメントを友達から得たいとの自己承認欲求が見え隠れしています。

相手の表情や状況がみえず他者の存在感が希薄なネット空間では，どうしても自分を他者に投影し，例えば，今こんな気持ちだからこんな反応が欲しいなど，自分が望む他者を求めがちです。それゆえ，思ったような反応が得られない場合は容易に不安や猜疑心が頭をもたげてきます。

他者に認められ自己を確立していく成長期のプロセスが，自他の境界が不明瞭になりがちなネット空間で行われることの難しさがここにあるのではないでしょうか。

美術×対話の場での承認

再び，美術と対話の場に戻りましょう。美術作品はわたしたちに様々な問いを投げかけます。人間という存在のみならず超越的な存在や普段あまり目にとめることのない物について，さらには，小さな命，大いなる自然，そして，人間社会が生み出す悲劇や矛盾について……。わたしたちは，時代や文化によって異なる多種多様な作品と出会うことで，自分でも思いもかけないようなさまざまな感覚や感情を抱き，想像や思考を巡らせるようになります。そして，作品に出会うたびに自分の内であらたに生まれる“内的世界”を経験します。

そのようにして，私のうちに生まれ感じられる“内的世界”を，その都度，言語化し，伝えあい，受容しあうことのできる場とは，現代において新しい自分を発見するとともに，他者と相互承認しあえる場として重要な役割をもつのではないでしょうか。

数年前に，ある人気ユーチューバーをめぐる番組を見て心に残ったことがあります。炎上させないのは当然として，人に嫌な感じをあたえないようあらゆる観点から細心の注意を払って制作するその徹底した姿勢についてです。動画の中では極めて無邪気に振る舞っているようにみえたので，舞台裏での過敏なまでの神経の使い方に驚きを覚えました。

確かにネット空間は，社会で抑圧されている人が声を上げ，志を持つ若者のプロジェクトに大勢の人が手を差し伸べる，自由な発言や有意義な人のつながりを生みだせる場です。

しかし同時に，心無いコメントに傷つき，あるいは，批判を恐れ差し障りのない言葉を発せざるを得ないような場でもあります。

そのようなコミュニケーション空間がわたしたちの日常に広がっているからこそ，もう一つの，いわばオルタナティブな場として，美術を介し現実の利害関係から一歩離れ，私たちの生に関わる様々な側面について，感じ考えたことを自由に発言しあえる場を確保することがこれからの時代ますます必要になってくると強く感じています。

3章

美術の現代的役割を考える

SNS vs 美術，同調か差異化か？

1節 “イメージ経験”という向きあいかた

前章では，美術と対話の場が，ネット空間で生きる現代人にとってどのような意味をもつのかを，注意，時間／身体，承認という3つのキーワードを切り口として検討してきました。

この章では，私たちが日常的に使用しているSNSなどと対比させることで，美術の今日的役割を明らかにします。

本論に入る前に前置きとして“美術”とのあらたな向き合い方を提案したいと思います。

“人類学的（人間学的）イメージ”論から“美術”をみなおす

“美術”という言葉は明治期に生まれましたが（ウィーン万国博覧会への出品依頼文にあったドイツ語のKunstgewerbeの翻訳語としてつくられました），この概念のおおもとでもある西洋の美術史学を見直す動きが実は1960年代以降に（萌芽的には20世紀初頭ですが）顕著になりました。

大まかに捉えるならば，それは，西洋中心主義，さらには白人男性中心主義の視点で“美術”に値するものを選び出しその歴史を編んできたことを批判し，文化相対主義やフェミニズム・ジェンダーの視点などから美術や美術史を捉えなおそうとする動きでした。

“人類学的イメージ”論はそうした動向のひとつといえます。“イメージ”という言葉は，通常みなさんが考える美術作品を含めさまざまな時代や文化を通じて生み出されてきた多種多様な造形物を含む広い概念として使われており，人間を理解するのに欠かせない人類学的（人間学的）概念として位置づけられています。

代表的な人物である，美術史・メディア学者のハンス・ベルティンク[1]は，狭義の西洋美術史を捉えなおし，これまで“美術”から排除されてきた太古の死者崇拝像などに始まり現代のデジタルイメージをも幅広く考察することで，人間とイメージとの根源的な関係を問いました。

そもそも，なぜ人間はイメージを生み出すのか，なぜイメージは人間社会において欠かせない存在であり続けるのかを明らかにしようとしたのです。そして，人間とは？　世界とは？　死とは？　などといった人間が抱く根本的な問いによってイメージが生み出されてきたことや，自らの身体経験や世界理解をイメージのうちに象徴化しようとしてきた人類の姿を見いだしました[2]。

イメージをみる側からこのことを捉え返すならばどうでしょう。それは，私たちと同様この地球上で生を得た人たちがどのような身体経験をし，世界や人間をどう捉えてきたのかを知る手がかりとしてイメージという人類の遺産がある，ということです。また同様に現代アートを，同時代を生きる人々の身体経験に向き合える場，そして，人間・社会・環境などをめぐり発せられたさまざまな問いかけに対し自由に感じ応答できる場を開くものとして捉えることもできましょう。

身体を介した“イメージ経験”

重要なことはイメージが歴史文書のように読まれるのではなく，みる人の内的イメージとの相互作用のうちで経験される（先述の，“みる人が生み出す身体化された空間”に重なります）という点です。

そこでは一義的に規定されない多種多様な身体経験が生じます。同じ題材（例えばＡ氏を対象とした）の肖像であっても，絵で表現されるのか彫刻で表現されるかなどメディアが異なれば，触発される感覚も異なり違った身体経験を得ます。

また，身体の内で働く，感覚，記憶，想像などの働きやその内容は人それぞれであり，同じ外的イメージ（作品）からどのような内的イメージ（みる人が眼前に生み出し，当人にとって実際にそのようにみえている作品イメージ）が引き起こされるかは一人として同じものはありません。つまり人類の身体経験や世界の捉え方は，わたしたちの身体に根差したイメージ経験の内で，いわば実感を伴いつつ想像され，理解されるのです。

この点に関連し，筆者がまだ美術史学を学び始めたばかりの頃の体験を例に挙げたいと思います。

それは，ヴェネツィア派の巨匠ティツィアーノによって描かれた《聖母被昇天》を一目見ようとヴェネツィアのある聖堂を訪れた時のことでした。

わたしは本の図版でしかみたことのなかった作品を目の当たりにし，興奮し感嘆のまなざしで立ち尽くしていました。しかし，ふと気配を感じ視線をうつしたところ，膝まずき，手を合わせ，ただただ一心に祈りをささげる老女が同じ祭壇画の前にいることに気づいたのです。

ここで明らかになったことは次のことです。私は，美しい赤いマントを纏った聖母が今まさに神の力で昇天されようとする瞬間を目撃する感覚を覚え，その迫真性に驚いていました。その驚きは，圧倒的な描写力や色彩の美しさといった“美術作品”としての素晴らしさに起因するものです。それに対し，老女は，生まれ育った環境や長い人生経験から培われたであろう信仰心に支えられ瞼の裏で一心にイメージを念じているようにみえました。

この経験は，美術作品としてみる態度とはまた別の，ある文化圏

図12　ティツィアーノ・ヴェチェッリオ《聖母被昇天》
1516-18年頃, 油彩, 板, 690×360cm
サンタ・マリア・グロリオーサ・デイ・フラーリ聖堂
（ヴェネツィア）

のうちで長く継承されてきたイメージ経験のありようやイメージと人生との深い関わりに思いを巡らせる最初のきっかけとなりました。

“イメージ”を介し人間としてのわたしを振り返る

時が経過し，特に美術史を学んだことのない学生向けの鑑賞授業でこの絵を取り上げたことがあります。ある学生は，「神様がいて，その下に私たちを導く人たちがいて，その下に人間がいる。そんなきちんとした秩序の中で暮らせる人間は，ある意味幸せだったのかもしれない」と述べました。多分この学生は，この絵の，下から上へと至る明確な階層性や上昇する垂直的動きから，現代とは異なる世界構造を感じ取ったのかもしれません。そして，かつての人間は，悩み，苦しみ，考えあぐねる毎日を過ごしたかもしれないけれど，天を見上げれば必ずや救いや導きの手があると確信できたであろうことを想像したのでしょう。

と同時に，ある意味水平的な世界に生きる現代人を思い起こし，超越的存在がないがゆえの苦悩に思いを馳せたのかもしれません。ここには，過去の作品に向き合うことで現代の人間のありようをあらためて感じとる自然な心の働きがみてとれます。

狭い意味での美術作品として（例えば名画として）めでるだけではなく，異なる時代，異なる文脈で生きた人間のさまざまな身体経験や世界理解が象徴化されたものとしてイメージ経験をする，そして，自分が生きている現代を振り返り，そこでの人間や世界のありようをあらためてみつめることが人類の遺産としてのイメージに向き合う意味であると考えます。

実際のセッションでは，過去の作品をみた後に，今のわたしたちが生きている世界との違いや共通点を考えてもらうような問いかけをすることもこうしたイメージ経験を生み出す一つのきっかけになります。

人類の記憶を継承しわたしを形成する

ベルティンクは，人類の記憶としての世界の諸文化が書籍や美術館で保管されアーカイブ化されていたとしても，現代人の身体や想像力により再び命を与えられ個人の生に属さないならば死と化してしまうと指摘しています[3)]。

あらためて考えるならば，物体としての彫像や絵画を生き生きとしたイメージとして経験し，何かを感じ考えることができる力が私たちに備わっていること自体，不思議でもあり素晴らしいことではないでしょうか。

文化的遺産を生み出した無数の人たちはとっくにこの世を去っています。しかし，なんらかの世界理解や身体経験が刻印された物が残っている以上，イメージ経験を介し何かを感じ想像し考えることができます。そのささやかな行為が，人類の記憶に触れ，人間という存在について考え，新たなわたしを生み出すきっかけになります。

記憶はふつう自分史として捉えられ，生まれ育った故郷の歴史まではふくめても，人類の歴史という発想はあまりないかもしれません。

しかし，歴史学者がAIと共に生きる人類の未来を考えるために人類史を顧みるように，わたしたちひとりひとりも過去の遺産として三人称的に美術を捉えるのではなく，祖先の世界経験として捉える発想を持つならば，今のわたしたちのありかたを振り返るためのツールとして役立てることができます。

一人称的に人類の記憶と対面する場をつくるという発想がファシリテーターとして重要な点だと考えています。

2節　美術というツールの３つの活用法

では，ネット空間でのわたしたちのありようとの対比で，さらに美術（これ以降美術は先述のイメージの意味を含み込む広義の概念として用います）の現代における役割を明確にしていきましょう。

1）他者と出会うツール

ネット空間におけるわたしへの焦点化

検索エンジンはとても便利です。疑問に思ったこと，気になる人物・事柄・出来事など，今，私が知りたいことに即座に答えてくれます。

また，ポータルサイトで興味を持った出来事や人物の記事をクリックすると，詳しい内容のみならず，同じ記事に関心を持った他の人のコメントを見て反応することもできます。

ハッシュタグ付きのSNS投稿（2007年頃アメリカのtwitterで使われ始めました）も，好みのトピックの投稿にピンポイントでアクセスし，情報を集め，関心を共有する人たちと投稿や反応を交し合える場を無数につくりだしています。

では，自分が興味を持っていない話題や事柄にアクセスし，自分とは異なる関心を持つ人と繋がるにはどうすれば良いのでしょう。突飛な問いではありますがいくつかの方法はあるでしょう。例えば，無作為に検索ワードを入れる，あるいは，別アカウントをつくり異なる関心を持つ人間を装い繋がった人たちとやりとりをする，などといった例です。

しかし，現実にそのようなことをする人はどれぐらいいるでしょうか。もしいるならば，きっと別の自分を楽しみたいか，あるいは，何らかの必要性に迫られて（調査など）のことでしょう。

やはり，ネット検索やSNSはわたしに親和性のある人・もの・ことを磁石のように集め，わたしの欲求を満たしてくれる便利なツールとして捉えるのが自然でしょう。

わたしへと焦点づけられるこうしたありかたは，前章の，ネット空間で消費されるわたし？　で触れたおすすめ機能にもみてとれます。ネットに接続すれば自動的に提示される，おすすめ情報や商品広告はもはやおなじみの光景です。

ネット空間におけるみんなへの焦点化

しかし，もう一つの焦点として，“みんな”という不特定多数への動きがあることも重要でしょう。

ポータルサイトでは，“みんなに話題”のトピックや動画が常時更新されています。

テレビでも“みんな”の動きが取り上げられ，アクセス数にもとづくランキング形式でのニュースが報じられたり，SNSを騒がせた出来事や人気動画が紹介されたりしています。

そもそも，マスメディアには雑然とした現象の中からトピックを設定し，言語・イメージによる編集を通して一つの現実をつくりあげる作用があります[4)]。世界中で起きる出来事を直接経験することが出来ない以上，メディアを通じて世界を知るわけですが，通常私たちはそれを現実として受け取ります。現代の特徴は，こうした現実構築的なメディアの働きのうちに，“みんな”の次元がかなりのウェイトを占めるようになった点にあります。

また，ポータルサイト上で次々と更新される検索ワードの表示も“みんな”へと向かう動きを誘発します。不特定多数の人々の検索行動が，“急上昇のキーワード”として表示されることで，それをみた人が同じキーワードを検索するようになり，キーワードのさらなる拡散を呼ぶからです。

知覚における盲点

では，このような状況は何を生み出しているのでしょう。

それは，知覚における盲点ではないでしょうか。つまり，受容できる情報が“みんな”や“わたし”の興味や関心に絞られるようになり，そこから抜け落ちる事柄が，目に触れない感覚しえない領域として取り残されていくということです。

感覚しえない領域をめぐっては，少し前にはなりますが，現代の美学者ヴォルフガング・ヴェルシュの考察があります。彼は，感性化と無感性（無感覚）という対照的な言葉を用いて，日常的な感性のありかたにスポットライトをあてました。至福感を演出し消費を駆り立てようとする都市のショッピングエリアなどが感性的刺激に満ちあふれている一方で（＝感性化），見せかけの至福感からくる空虚さ・退屈さが見え隠れしていること（＝無感性），さらには，心地よさを生み出す感性的刺激に慣らされる裏面で，酷い社会的・人間的状況に対する無感覚が広がっている，との指摘を例として挙げることができます[5]。

こうした感性化と無感性をめぐる指摘は，一見，日本のバブル期を彷彿とさせる過去の状況をめぐる指摘にも思えます。しかし，インスタグラムやYouTubeにまつわる日常を顧みるならば現代にも当てはまるのではないでしょうか。

ネット空間ではインスタ映えや動画再生数獲得のための“わたし”や“みんな”へと向かう感覚的こだわりが追求される一方で，時に，他者への迷惑や自分の命に係わる危険性を顧みず写真や動画を撮る無感覚性をみてとれるからです。

他者に開かれた美術

このような時代だからこそあらためて気づかされることは，美術が，“わたし”や“みんな”から抜け落ちた他者に対面するツールになるという点です。

現代アートの展覧会に行った人は，政治的社会的な理由で祖国を追われ，亡命した先々でもアイデンティティを得られない人々をテーマとしたヴィデオ作品を見たことがあるかもしれません。また，LGBTQをテーマとした写真や他のアジア系の人に対する日本人のまなざしを主題化したヴィデオ作品などでは，習慣化され気にも留めてもいなかったような他者への自分のまなざしに気づかされた人もいるかもしれません。

美術は，自分の関心や興味にそった居心地の良い場から一歩外に出て，想定外の思ってもみなかった事や人との出会いを可能にしてくれるツールといえるのです。

写真を通じた他者との出会い

例えば，写真家石川竜一の作品[6)]を例に他者との出会いの意味を考えてみましょう。

筆者が訪れた展覧会場の壁面には，被写体の人物をめぐる写真家直筆の文章が作品の横に長文でつづられているスペースがあり，そうした展示方法自体も来館者の注目を集めていました。

来館者は写真家が出会ったさまざまな人のポートレイトを介し，みずしらずの人に対面すると同時に，写真家の文章を読んで理解したことや想像したことをその人に重ねてみることになります。

次頁に彼の作品を2枚（図13，図14）載せていますので，まずは皆さんご自身がポートレイトに対面してみてください。そして，心になにか浮かんできてから作品のあとに続く文章を読んでいただきたいと思います。

図13, 図14　石川竜一《グッピー》2011-2016年
インクジェット・プリント（20点組）より2点
各33.5×33.5cm

さてどうでしょう。

なぜこんな格好をしているのか，どんな人なのか，何があったのか，さまざまな疑問が浮かんできたかもしれません。

写真家の文章を読み進めると，どうやら彼女が意味不明の言葉を発するような人物であること，夫からバケモノと呼ばれるようになり今は一人暮らしをしていること，しかし同時に，そんな母を遠くから気に掛けている息子がいることなどがわかってきます。

ここで重要なことは，作品を介した他者との出会いが日常的な場での出会いとは異なる経験を生じさせてくれることです。日常における他者との遭遇は，多くの場合極めて限られた時間の出来事です。そこで何か直接的な関わりが生じない限り存在自体をさして気に留めないか，気に留めたとしても，第一印象やいわゆるステレオタイプ的な見方にとどまってしまう場合が多いでしょう。

一方，作品を介した出会いでは，現実の場における気遣い（あまり他人をじろじろみないなど）から解放され，じっくりと目の前の他者をみつめ，感じ，考える場が開かれます。と同時に，この作品の場合，自分がこの人物に向けるまなざしだけではなく，文章から感じられる，写真家とこの人物との日常的なやりとりや彼のこの人物に対するまなざしや態度が，オーバーラップし介入してくるようになります。なぜなら，体調を気遣い食べ物を持ち寄り，彼女の言動を懸命に理解しようする写真家の姿や，二人の間に築かれてきた信頼関係が傍らの文章から感じとれるからです。

そこでは，自分の印象と写真家が向けたであろう（と想像する）まなざしとのずれが起き，緊張感を孕みながらも，乖離したままになる状況も起こりえるし，写真家のまなざしが自分のまなざしに重なり，最初の印象と違ってみえてくる場合もあるでしょう。いずれにせよ，私が他者に向けていたまなざしが相対化され，あるいは，客観視されるような状況が生じるのです。

写真の人物に向かっていたはずの私のまなざしは，いつのまにか自分へと向かい，自分のうちにある異質性を感じとるセンサーの存在に気づくことになるかもしれません。作品から受ける印象はさまざまでしょうが，少なくとも，なんらかの基準をもとに安易に他者を分類し判断することを妨げるような力がここには働いています。

それは，例えば，ワイドショーなどでゴミ屋敷の住人などを異質な他者として自分たちとは区別するありようとは異なりますし，ネット上で十分な証拠がないまま悪者をでっちあげ，みんなでネット拡散させながらその人を中傷する態度とも異なります。

美術を介しわたしと他者の関係を振り返る

知らず知らずのうちにメディアを介した他者経験を重ね，人を安易にラベル付けしてしまいがちな現代においては，美術を介しさまざまな他者と出会い，自分の内側で生じる感情，想像，思考の動きをみつめ内省する場をもつことが大切なのではないでしょうか。そのような場を作り出せる作品は，この作品のみならず，写真，絵画，彫刻など人間を題材にした美術作品の多くがあてはまります。

作品を介し，対面する人間がどのような人間なのかを考えてみること，どのような状況にあって何を感じ考えているのかを想像すること，そして，同じ作品を見ている他の人との対話で，自分のうちにある他者をめぐる判断基準や固定観念などに気づいたり，自分が感じられなかった人間的側面や想像もしなかった状況などに思いを馳せたりする経験は，まさに，ダニエル・ゴールマンの指摘するような，ビジネスにおいても重要な共感能力（他者の異なる文脈，観点，考え方などを推察する力）を鍛えることにもつながります。

思春期のこどもたちにとって大切な他者

また，SNSを介し共通の話題で繋がり合い同質性を求めがちな，思春期の子供たちの日常にもこうした経験は重要な意味を持つはずです。

例えば，バングラデシュの通りで物乞いをしていた少女とその家族の日常の写真（図15）や，けばけばしい色彩と無表情さの中に静かな怒りや悲しみを感じさせるモンゴルのマンホールチルドレンを描いた絵画（図16）のように，異なる文脈で生きる子供たち（作品情報はふせる）が撮影され描かれた作品を対象に，写真集をつくる設定でタイトルとキャプションをつける（図15），作品タイトルをつける（図16）ことからスタートし，その理由をなるべく具体的に（丁寧な観察を促すため）記入させることからはじめるのはどうでしょうか。

図15　ジョアンナ・ピネオ《Minara》2013年
©2013 JoannaBPinneo courtesy of the photographer

対面する人間がどのような状況にいて何を感じ考えているのかを想像し，さらには，クラスの他の意見を聞き，自分が気付かなかった観点や感情に思いを馳せる経験は，自分を他者に開く第一歩になります。

図16　ツァガーンダリーン・エンフジャルガル《月の子どもたち》1993年
油彩，画布，120.2×150.2cm，福岡アジア美術館蔵

図17　石田徹也《無題》，45.5×53.0cm，©TETSU Inc.
出典：石田徹也『石田徹也全作品集』求龍堂，2010年

また，学校の机の下に身を隠す男子（男性）を描いた石田徹也の作品（図17），過去のいじめ体験に関わる風間サチコの作品（図18, 19），そして，豊澤めぐみ《革命イレイザー》（思春期の女の子同士の対立にも，一人の女の子の心の葛藤にも見えます）などの作品をめぐり，発言しあったり，あるいは，まずは一人で作品に向き合いワークシートに記入させた上で，後日全員の意見をプリントアウトし興味を持った互いの意見をもとに話し合ったりする活動も考えられます。

図18　風間サチコ《水晶の夜》2016年
木版画（パネル，和紙，墨）
121 × 91.3cm
撮影：宮島径，©Sachiko Kazama courtesy of the artist and MUJIN-TO Production

図19　風間サチコ《獲物は狩人になる夢を見る》2016年
木版画（パネル，和紙，墨），91.3 × 121cm
撮影：宮島径，©Sachiko Kazama courtesy of the artist and MUJIN-TO Production

そして，最終的には，イメージを介しさまざまな人と出会う一連の経験が，自分にとってどのようなことを感じ考えさせる時間であったのか，それは普段の生活に生かすことができる経験であったのかなどを振り返る時間をつくり，イメージ経験を普段の生活と関連付け内省する時間をとることが重要です。

それはイメージ経験で得たことを一人称的にそれぞれの現実の人間関係へとつなげ同質性を求めがちな成長期の人間関係に風穴をあけるために必要な活動であると考えています。

ネット空間の外部へ

さて，美術は，他者に対面させてくれるだけではありません。メディオロジーの創始者でありフランスの思想家レジス・ドブレは，イメージを，より広義に，超越的な外部に開かれたものとして捉えています。それは，習慣的な日常のうちでは見えにくくなっている何かであり，現代的にいえば，“わたし”や“みんな”の関心からはずれ，感覚や思考の及ばないネット空間の外部といってもよいでしょう。

ドブレ自身は，ゴッホにとっての貧困，ジャコメッティにとっての無，ボルタンスキーにとってのホロコーストといったかたちで，外部や超越性の例を示していますが[7]，ここでは，ボルタンスキーの作品をもとに考えてみましょう。

シャス高校の祭壇画（図20）のような作品では，ニュース報道などのように，死者○○人として数字で表され，抽象化された情報とは異なる形で，死者に向き合うことになります。

引き伸ばされた正面像の顔写真は確かな存在感がある反面，こちらに向けるまなざしや表情が微妙にぼかされています。しっかりと目を合わせることができないからでしょうか。写真の人物とわたし

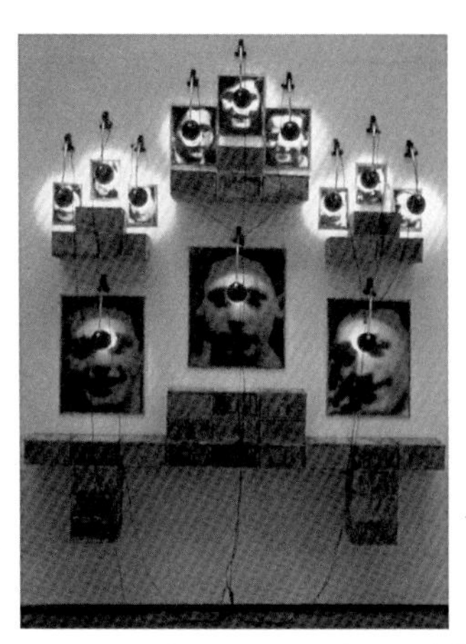

図20　クリスチャン・ボルタンスキー《シャス高校の祭壇》
1987年, 写真, 金属の（ビスケットの）箱, 電球, 電線
245.0 × 210.0 × 23.0 cm, 横浜美術館蔵

たちとのコミュニケーションは未消化に留まり立ち去り難さを感じさせます。

写真を照らす光は，遺影を照らす光のようでもあり，実験室的な冷たい光，あるいは，脱獄者を浮かび上がらせる投光器の光のようでもあります。光が孕む多義性は，これらの人物に向けられたかもしれない暴力性が今なお現存しているかのような不気味さを感じさせます。

一見，鎮魂の場をつくりだしているかにみえて，そうした場に収まりきらない何かをわたしたちに示唆し続けるこの作品は，メディアを介した情報消費とは別種の，外部へと開かれたイメージ経験を促します。

あらためて考えるならば，この作品に限らず，日常において見えなくなってしまった外部や超越性は，1章で取り上げたモネの睡蓮をはじめどのような美術作品のうちにも感じ取ることが出来ます。

作品とは，そもそも，異なる時代，文化，社会的状況のうちで生き，異なる価値観や，感性・思考のありようなどを持つ他者が生み出したものです。特定の社会の内で明確な役割を担っていた伝統的な宗教画などでさえ，現代人からみるならば，時代や文化的文脈等の違いに起因する異質性をもち，現代的な日常を超えた外部に位置付けられます。また，伝統対革新という形で，既存の価値観を揺るがした近代以降の作品においても，未だ古びることのない慣習的なものの外部をみつめる斬新な精神を認めることができます。

美術を介し感覚と思考の限界を押し広げる

前章において，自己とは，今の自分とは異なる，他なるなにかへと開かれつつ生成するプロセスであることを確認しました。“わたし”と“みんな”に収束しがちな時代だからこそ，セルフィーやインスタグラム上での“わたし”へのこだわりや“みんな”に同調する構えから身を引き離す時間を確保し，自分とは異なる人間，異質性をもつもの，無関係と思っている事柄に対面し，今の自分が，感じられること，考えられることの限界を押し広げてくれる場を積極的に求める必要があるのではないでしょうか。

異質なもの，考えてもみなかったこと，その存在にさえ気づかなかった何かなど，他者（的なもの）と出会うツールとして美術を用いることは，習慣化され見えなくなってしまった地平や固定観念を明るみにすることを助け，既存の枠を超えた視点，さらには，新しい感覚や思考を得る貴重な機会を与えてくれます。

こうしたイメージ経験の場を学校や職場で取り入れるならば，同質性を求めがちな人間関係に揺らぎを与えたり，想定された領域を超えた外部の視点を想像しようとしたり，異なる意見に価値を認めたりするなど，集団や組織自体にもプラスの作用を齎すことができるのではないでしょうか。

2）わたしの記憶に出会うツール

さてここからは，記憶を切り口に，美術の現代における２つめの役割を明らかにしてゆきます。

今を注視＞過去の想起

ネット接続をする度に私たちを待ちうけるのは更新され続ける情報です。ニュースのヘッドライン，フェイスブックのタイムライン，フォローしている人のツイートやLINEなど，時々刻々とさまざまな情報が現われては消えます。私たちの意識はほとんどの場合，常に現在か，あるいは，直近の過去（見逃した番組やLINEのキャッチアップなど）へと向かっているのではないでしょうか。

こうした傾向は，“ネットで話題”の無料動画や“リアルタイム検索で話題”のキーワードなどが常時更新されていくことでも拍車がかかります。なぜなら，そうした表示が目に触れることで，“今話題のもの”を知りたい，みたいという欲望や，更新されつづける“今”を注視する構えが誘発されるからです。

そのような状況でわたしたちの日常から追いやられつつあるのが，過去を想起する，自分の記憶に向かう時間ではないでしょうか。

覚えている方もいらっしゃるかもしれませんが，平成が終わろうとする頃，懐かしい映像やヒット曲とともに過ぎゆく時代を振り返る番組が頻繁にみられるようになりました。それはまるで，わたしたちの想起の働きに代わって，テレビというメディアが去りゆく平成の記憶をつくってみせてくれているかのようでした。

実際，今，眼を閉じて，平成の時代を思い浮かべた時，そこにはどのようなイメージが浮かんでくるでしょうか。9.11の映像をはじめ，テレビ画面やネット上で何度も目にしたイメージが少なからずの割合を占めているのではないでしょうか。

映像消費と意識の変容

わたしたちの記憶がこうした映像消費との関わり抜きに語りえなくなっていること，これがわたしたちの記憶をめぐる今日の状況ではないでしょうか。

前章でも参照したスティグレールの考察を手がかりにそこで何が起きているのかを考えてみることにしましょう。

ここでは彼の論点を以下の２つに絞ります。

１点めは，時間的なもの（音楽・映画・テレビ番組などのように流れる時間で構成される対象）を視聴し消費し続ける日常では，わたしの意識は，唯一の特異な（他者とは異なる）わたしの意識ではなく，みなと似たような意識へと変容してしまうのでは？　ということ[8)]。

２点めは，映画やテレビなどによって大量生産される時間的な商品（今はデジタルコンテンツと呼んだほうがしっくりくるかもしれません）が視聴者としてのわたしたちに記憶される時，そうした記憶がフィルターとなって，わたしの意識が向かう対象を選別するようになること[9)]。

まずは，１点めから具体的にみてゆきましょう。

私たちの意識は時間的な流れとして存在しています。例えば，目を閉じて家の内外から聞こえる物音に耳を澄ませるとき，鳥の鳴き声や洗濯機の音など，高低差のある音のつらなりや，規則的，あるいは，不規則なリズムが聞こえてきます。それは，私たちの意識が一瞬一瞬で完結する点の集積からなるのではなく，過ぎ去ってゆく音の記憶を保持しつつ未だ到来しない音を予期するという，過去を把持しつつ未来へと向かう流れとしてあることを示しています。

一方，映像や音楽も同様に時間的な流れとしてあります。だからこそ，意識は容易にそれらの時間に同期し映像や曲の流れに一体化することができます。映画をみているうちに，開演前に気になっていた歯の痛みを忘れてしまうことはないでしょうか。こうした例からもわたしの意識が映像の時間を取り入れ，やがて自らの身体から抜け出し映像の中に入り込むさまを確認できます。

イベントや出来事を世界中に生中継できるテレビは，映画以上に世界中の人の意識を同期させ映像の時間をわたしたちの意識に取り入れさせる強力な作用をもつメディアでしょう。

オリンピックとワールドカップ（サッカーとラグビー）は世界3大スポーツイベントといわれていますが，例えば，2018年ロシア開催のサッカーワールドカップでは，世界人口の半数近くを占める推定35億7200万人が視聴したとの報告があります[10)]。うち，32億6200万人はテレビで視聴し，残りの3億970万人はネット配信やパブリックビューイングなどで試合を観戦したようです。となると，何十億もの人々の意識が映像に同期しその興奮に満ちた時間を共有していたということになります。

一人で自宅観戦していても今はSNSを介し“みんな”とともに観戦できます。コメントを交しあい，固唾をのんで映像を見つめ，歓喜や落胆の瞬間を共有し，観客（あるいはサポーター）としての一体感を味わいながら映像経験ができるからです。ここでは，映像への同期と，オンライン上の他の人々の意識との同期が重なり合います。

さて今日では，さまざまな趣味嗜好に対応した時間的な商品（音楽・映像・動画といったデジタルコンテンツ）が生み出され，動画配信サービスの拡充やデジタル機器の高性能化などにより快適な消費を追求できる環境が十分に整えられています。

こどものころから動画視聴を楽しむことができる現代では意識が動画の時間を取り入れ同期する頻度はますます増えていくことが予想されます。起きてから寝るまでの間どれだけの時間が動画消費に費やされるのか，その度合いによっては，意識がすべて自分固有のものだと言い切ることは難しいのではないでしょうか。これが，1点めの論点になります。

意識が向かう先

では2点めの，時間的商品に同期した意識が記憶となり，今度はその記憶がフィルターとなって私の意識が向かう先を選別する，とは具体的にどのようなことを意味しているのでしょう。

スポーツの祭典の生中継を見て，何十億の世界中の意識とともに映像に同期するにせよ，お気に入りのデジタルデバイスで好みの曲や動画を一人で楽しむにせよ，あるいは，番組の間に何度も流れる広告をさして気に留めずに視聴するにせよ，わたしたちは日々時間的な商品を取り入れつつわたしの記憶を日々つくりあげています。

そして，スポーツ中継のように興奮に満ちた時間を経験した意識はまた次の生中継の機会を心待ちにするでしょうし，抱腹絶倒の時間を経験した意識はお笑いの動画を検索するでしょう。好きなアーティストや俳優などがいる人ならば，新曲，新作の視聴を当然待ち望むでしょうし，お店で商品を選んでいるときに広告のフレーズがふと浮かび思わず宣伝されていた商品を手にするかもしれません。

記憶された時間的な商品がフィルターとなり意識が向かう対象を選別する，ということの意味は，まずは，以上に述べたような期待の地平や無意識の対象選別を意味しています。

さらには，知覚に作用するフィルターとしての働きも考えることができます。例えば，同じお笑いの動画を見ていても，既にその芸人の動画を何度も見ている人とはじめてみる人とでは，どのように知覚するかに違いが生じます。前者はその芸人の過去のネタを知っている為，そのネタに絡んだ新たなネタに素早く反応し笑えるのに対し，後者は意味がわからずあまり面白さを感じられないかもしれません。

となると，視聴経験が豊かなほど一層楽しさが感じられ次の視聴に向かうサイクルが速くなります。

まとめるならば，メディアを介した経験では意識の同期体験を重ねることが多くなっていること，そして，時間的商品の意識の取り入れによってわたしたちの記憶が形成されることでまた同様な経験を求めるサイクルが生まれているのでは，ということです。

想起するわたし／意識の差異化

無論，映像・動画・音楽視聴の楽しさや豊かさを否定するのでは全くありません。

ここで強調したいことは，2章で，外からキャッチされがちな“注意をエクササイズする”ことを提案したように，現代の日常において，今を注視し続ける構えや時間的商品に同期する意識のありかたが主流になりつつあるならば，そうしたありかた一辺倒になるのではなく異なる意識のありようを経験できる場も確保する必要があるのではないか，という点です。

美術はそもそも人類の記憶に出会うツールという意味で今を注視する現代人の構えを相対化する力を持ちます。

と同時に想起する行為を自然に促すためにわたしの過去に向き合う時間ももたらしてくれます。

みなさんも絵を見ているうちにふとこれまでの経験や知識が浮かんできたことはないでしょうか。あるセッションでは，暗く厚い雲間から差し込む一条の光に注目した方が，死んだ人の魂が天に昇っているところだ，と発言してくれたことがありました。その理由を聞くと，小さいころ母がそう教えてくれた記憶があるとのことでした。

また，殴り書きのような絵を見て，昔訪れた南米の街での喧騒や匂いなどが鮮やかに蘇ることもあるかもしれませんし，白壁と暖炉のある室内画をみて，ぱちぱちという心地よい音とともに家族との安らぎの時間を思い起こすこともあるでしょう。

つまり美術は，忘れ去っていた経験やいつの間にか身に付けた知識を蘇らせてくれる，わたしの記憶に出会うツールでもあるのです。

想起される知識や経験は千差万別であり，そこからどのような感覚や感情を抱き，何を想像し考えるかをめぐっては無限の差異が生じます。

だからこそ美術は，人々の意識をシンクロさせ共通の時間を生き同調させることができる音楽やスポーツイベント等とは対照的に，それぞれの過去を想起させ，"感じる""想像する""考える"といった心の働きが生み出す，いわば意識のコンテンツをその人らしいありかたへと差異化する力を持っているといえるのです。

長期記憶を組み替える

さて，わたしのうちに浮かび上がる記憶と目の前の作品が意味ある形で結び付きある解釈が生まれたならば，それは，わたし固有（唯一）の新しい知の誕生といえます。

と同時に，対話を介し他者の異なる意見に触れることは，自分の記憶の反映としての感じかた・考えかたを，見直したり深めたりする機会にもなります。

つまり，ここでは，情報処理に追われ短期記憶（ワーキングメモリー）のみに負荷がかかりがちなネット空間とは異なり，長期記憶を働かせながら豊かに組み替えていく場が生じるのです。

“記憶の組み替え”，これは，人間ならではのありかたです。コンピューターのメモリー（記憶）が，いつ呼び出されようと機械が壊れない限り全く同一なのに対し，人間は想起の度にあらたに記憶をつくりなおすからです[11)]。

そのことは，長期記憶の形成時のみならず想起の際にも新しいタンパク質が必要とされるとの生化学的知見によって裏付けられますし[12)]，日常的な経験からも実感できます。

例えば，ある出来事を，一週間後に思い出すのと，一年経ち，十年経って思い起こすのとでは，感じかたや自分にとっての意味に違いが生じます。それは，想起が現在のわたしを反映する働きであって，年月と共にさまざまな経験や知識を得て変化し続ける私をうつしだすからではないでしょうか。

互いの記憶を尊重しあらたな知を生み出す

わたしたちはそれぞれの視点から世界を知覚できる今ここにある存在だけではありません。膨大な記憶をもち，かつてのわたしの身体に刻まれた出来事を今この身体のもとで思い起こし，過去と今を行き来できる存在です。

他者と共にイメージ経験をする場とは，イメージに触発された想起の働きによって，自分の意識から消えていた過去に思いもかけず出会える場になります。そして，同時に，別の人生を歩んできた他者の記憶にも向き合い，それぞれの経験を尊重しあいながら新たな知を生み出し長期記憶を組み替えてゆける場にもなります。

更新され続ける情報に追われ，賞味期限切れの情報が忘れ去られ，さらには，みなと似たような記憶を容易に形成しやすい現代だからこそ，かけがえのないそれぞれの記憶に出会うツールとして美術が果たす役割は大きいのではないでしょうか。

それは必ずや自分自身をみつめなおし，他者を受容する場になり，ひいては心の安らぎを生み出す時間になるはずです。

3）多元的世界に出会うツール

この章も終わりに近づきました。

最後に焦点を当てるのは知覚のはたらきを刷新する美術の力です。1章では他者との対話による知覚の変化についてお話ししましたが，ここではあらためて，美術が持つ知覚を組み替える力にフォーカスします。

どのように知覚が変化するかについては皆さん自身のうちで実感していただけるよう，あとでセッション例をいくつか紹介しますので，セッション②，③，④では参加者になったつもりで読み進めていただければ幸いです。

囲い込まれていく世界

皆さんは日々の情報をどこから得ているでしょうか。

新聞，テレビ，デジタル版の雑誌，ポータルサイト，SNSなど，人によってさまざまでしょうが世代的な特徴はありそうです。ネットのみならず新聞やテレビから情報を得ることがまだまだ多い中堅以上の世代と異なり，大学生ではSNSからの入手の割合が高くなっているからです。

分断社会アメリカを象徴する例としてこんな話を耳にしました。以前は共和党・民主党と支持政党が違っていても人間関係に支障はなかった。しかし今はたとえ親子であろうとも支持政党が違えば話し合いさえできず，結婚に至っては乗り越えがたい障害になってしまう，との指摘です。

そうした状況をもたらすひとつの要因としてSNSからの情報入手があるのではないでしょうか。SNSの情報はネット上の行動をもとに提示される為，使えば使うほど自分の関心や指向にあう情報が目に触れやすくなります。そして，気づかぬうちに，自分の感じかたや考えを補強してくれる情報に囲い込まれていく可能性があるからです。

自分とは相容れない，いわば異質な情報に注意を向ける機会がなくなり，好みの情報に囲まれがちなわたしたちの知覚のありようは，筋肉に例えるならば固くなり柔軟性を失いつつある状態といったところでしょうか。

多元的世界と知覚の刷新

さて，美術とは先述のように馴染みのある世界の外部へとわたしたちを誘いだし，思いもよらぬ感覚や感情，そして，普段考えもしなかったことを誘発します。いわば，知覚の働きにいつもとは異なる刺激を与えて活性化させるブースターとしての役割をもちえます。

美術作品は，そもそも，異なる時代，文化，社会的状況のうちで生き，異なる価値観や感性・思考のありようをもつ他者が生み出したものです。

付点をつけたのは，つくり手が生み出したイメージにはその人が生きた時代や社会という，今わたしたちが生きている文脈を超えた世界が刻印されている点をあらためて確認したかったからです。

時代や文化が異なれば世界はどんなに違ってみえることでしょ

う。どのような事物や事象に注意を向けるのか，という知覚の最初のプロセスさえも現代とは異なるはずですし，何をどのように感じ意味づけるのかもさまざまなありかたが想像されます。例えば，天災を神の怒りとして恐れたこともあったでしょうし，動物を神の使いとしてみたり，捨てられた器に妖怪の気配を感じたりしたこともあったでしょう。つまり，現代人にとって当たり前なことがすべてとはいわなくともかなりの割合で覆される世界といえるのです。

と同時に社会におけるイメージの役割も時代や文化に起因する多様性があります。イメージが何を表現し，物語っているのかといった意味の次元のみならず，社会のうちでどのような力や働きをもっていたかという作用の次元でも違いがあるからです。

教会への奉納画を画家に注文し，キリストや聖人が描かれた場面の脇に自分の祈る姿（祈祷者像）を描いてもらうことで現世の罪が贖われ天国に迎え入れられることを信じたルネサンス時代の銀行家たちもいたでしょう。あるいは，冥界での審判を無事に乗り越えあの世での幸せな暮らしを実現してくれる力を持つものとして墓壁画をとらえていた古代エジプトの人々もいたでしょう。

その意味でイメージ世界は，美術＝自由な自己表現としてみなしがちな現代人のみかたや意味づけ（ラベリング）を軽々と超えゆく世界ともいえます。

つまり，人間が歴史のうちで生み出してきたイメージとは，他者により創られ，他者が生きた多種多様な文脈が刻み込まれ，さらには私たちの美術観を超えた地平をもっている，という三重の意味で，感じること・意味づけることの可能性を押し広げてくれる刺激に満ちた多元的世界といえるのです。

好みのモノ・コト・人をめぐる情報に囲まれ，情報の摂取を通じてある一定の感じかたや意味づけのセットを内面化しがちな，いわば自動化された知覚にくさびを打ち込むツールとして，美術という多元的イメージ世界を活用する発想が今必要なのではないでしょうか（図21）。

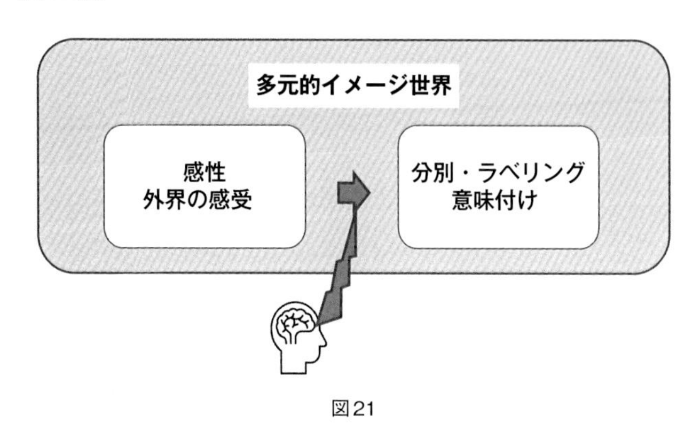

図21

では具体的にどのようなセッションをつくることができるのでしょうか。以下にセッション例を紹介します。

みなさんもセッション②以降は，図版をよくみていただき，まずは自分の眼にどのようにみえているかを大切に，感じたこと想像したこと考えたことなどをメモしながら読み進めていってください。

セッションの前に

本題に入る前にこんな質問から始めさせてください。

「印象に残っている最近の出来事はどんなことでしょう？」（眼を閉じて少し時間をとって思い浮かべてみてください）

続けてもう一つ質問です。

「その出来事はあなたの脳裏に言葉として記録されているのでしょうか？」

さてどうでしょう。

皆さんの脳裏に浮かんだのは，これこれしかじかの出来事といったふうに既に文章化されたかたちの記憶でしたか。もしそうでないならどのようなイメージでしたか？

冒頭から意外な質問で戸惑った方もいらっしゃると思いますがこの２つの質問は鑑賞授業で筆者が学生に投げかける言葉です。

なぜこのような質問をするのか。理由はいたって単純です。美術に向き合う前に，そもそもわたしたち自身がイメージを生み出す存在であることにあらためて目を向けてもらいたいからです。

みなさんの脳裏に浮かんだのはある情景を瞬間的に切り取ったような視覚的イメージでしたか？　多くの方が，視覚のみならず聴覚や触覚，場合によっては，内臓感覚・運動感覚などさえも伴う多感覚的なイメージを浮かべたのではないでしょうか。例えば，一緒にいた人の話す声（聴覚イメージ）や仔犬を撫でている感触（触覚イメージ），そして，実際はみえていないはずの自分自身の姿さえ浮かび，その時，自分が感じた心臓の鼓動や頭に血が上った感じ，あるいは喜びの感情なども蘇ってきたのではないでしょうか。

この章のはじめの**身体を介した“イメージ経験”**で述べたように，鑑賞は，目の前の作品に触発され，わたしたちの感覚や感情とともにそれぞれのイメージを立ち上げる行為です。身体の内で働きだす感覚・感情・記憶・想像等の働きや内容が人によって異なる以上，同じ外的イメージ（美術作品）からどのような内的イメージ（みる人が眼前に生み出し，当人にとって実際にそのようにみえている作品イメージ）が引き起こされるかは人それぞれです。

鑑賞であれ，想起のような日常的な行為であれ，根底にあるのは，イメージを生み出す人間の能力です。鑑賞を始める前に，まずは，自分のうちにある力にあらためて気づいてもらいたいと考えたわけです。

ヒトは道具や言語を生み出す存在であるとともに文字の発明以前にイメージ（絵）を描いた存在ともいわれます。その原点にあるのが，今皆さんが脳裏に浮かべてくださったような，身体のうちにイメージを生み出すことができる人間の能力であったと想像されます。

こどものころシミや木目をじっとみてそれが人の顔にみえてきたり別の物にみえてきたりしたことはないでしょうか。勿論大人であってもふと空を見上げ変幻自在な雲をみつめさえすれば皆さんの眼前にはさまざまなかたちが現れてくることでしょう。

その能力は，時を遥かに遡る旧石器時代に，洞窟壁画を描いた人類が既にもっていた能力へと繋がりゆくものではないでしょうか。

セッション①／なぜこのようなイメージを描いたのだろう？

ここで本題に戻りたいと思います。イメージ経験の場で扱いたい対象のひとつとして文字の発明以前に人類が残した洞窟壁画があります。例えば，大小多数の動物が描かれたラスコー洞窟では，石灰質の壁の自然な凸凹にあわせ川や動物の体のふくらみが表現されているようにみえる箇所があるといわれています。それは，現代のわたしたちがシミや木目に何かをみるように，壁の窪みやふくらみに触発されてイメージが生み出みだされた可能性を想像させます。

洞窟壁画を対象とする理由は，人間のイメージする力の原点に向きあう機会を与えてくれるとともに，多元的世界のお手本のごとく，なぜ？　との尽きせぬ問いを誘発するイメージだからです。

実際，本やインターネットで得られる視覚イメージをみるだけでもさまざまな疑問が湧いてきます。動物ばかり描かれているのはなぜか？　なぜ重ね描きされているような箇所があるのか？　なぜ人間はほとんど描かれなかったのか？

さらにどのような場所に描かれたかを知ったならば，日が当たる住居用の洞窟ではなく地下 20m ほどの場所に描いたのはなぜか？　灯りを手に地下深くまで行って絵を描くことは手間であり危険さえも伴うはずなのになぜそうしたのか？　わざわざ足場をつくって洞窟内の上の方（天井）に描いたのだろうか？……などの疑問もわいてきます。

しかし動物捕獲を願う呪術的な目的で描かれたとの説明を受けてイメージをみたらどうでしょう。なぜ？　という心の自然な動きは生まれず，自分の眼でじっくりみてみようという気もそがれてしまうかもしれません。

専門家の意見としても呪術目的以外にさまざまな見方が提起されているわけですし，イメージ経験の場をつくる上では，むしろ，人類という大きなフレームを意識し，現代人の視点から一旦身を離し，いわばズームアウトしながらイメージに向き合う機会にすることが重要です。

それは同時に多元的世界との出会いを通して，わたしたち自身のイメージする力を存分に働かせ，固くなりがちな知覚の働きをしなやかに組み替えることに繋がります。

以下では，オンラインで〈人類最古のイメージ世界に向きあう〉とのテーマで行った授業をもとに話を進めますのでファシリテーターとしてセッションをつくる一例としてとらえていただければ幸いです。

重視したことは，まずどこに描かれていたのかをめぐり学生自身がそれぞれのイメージをふくらませることが出来るような言葉がけです(筆者の想像が過ぎている部分がありますことどうかご容赦願います)。

では始めます。

(前置きの言葉)
「今日は，洞窟壁画の中でも有名なフランスのラスコー洞窟の絵をみます。まずは皆さんに意見を言ってもらいながらいくつかの絵を一緒にみて，最終的には，なぜこのような絵を描いたのかについてひとりひとりに考えてもらうことにします」
「まず絵が描かれた場所を皆さんの心の内でイメージすることから始めましょう」
(イメージしてもらうための言葉)
「一旦目を閉じてください。目を開けて良いですよというまで閉じていてください……(時間を少し置く)わたしたちのからだは徐々に軽くなっていきます。大きな力によって大空へとひきあげられ，遠い国へと誘われていきます……時間がだいぶたったようです。下を見下ろしてみましょう。豊かな自然に囲まれた村がみえてきました。そろそろ一緒に降りていきましょう……今，私たちは，フランス南西部の丘に降り立ちました。樹々を渡る風が心地よい場所です。鳥のさえずりも聞こえてきます。目の前にあるのは青銅の扉。この重たい扉を押すと，1万7千年位前にこの地球上で生きていた人にとって大切な場所に足を踏み入れることができます。さぁ一緒に中に入ってみましょう……扉を閉じた途端，わたしたちは暗がりに包まれました。もうここは大地の内にある静かな世界。さっきまでの心地よい風や日の温かさはありません。みなさんの肌に触れる空気はどんな感じでしょう……今日みる絵は，一番深いところで地下20m程のところにあります。ビルでいえば7階分です。手元の小さなランプで足元を照らしながら奥深くに下っていくことにしましょう……（時間を置く）少し時間がたちました。そろそろみえてくるころかもしれません。皆さんランプを，上の方にかざして眼を開けてみてください。何がみえてきましたか？」

こうした言葉の後で次のような画像を含め複数点みせていくことになります。

図22　旧石器時代の壁画，ラスコー洞窟（フランス）
オーロックス，馬，鹿
©Prof Saxx, 2006年2月 shared under the permission of CCBY-SA3.0

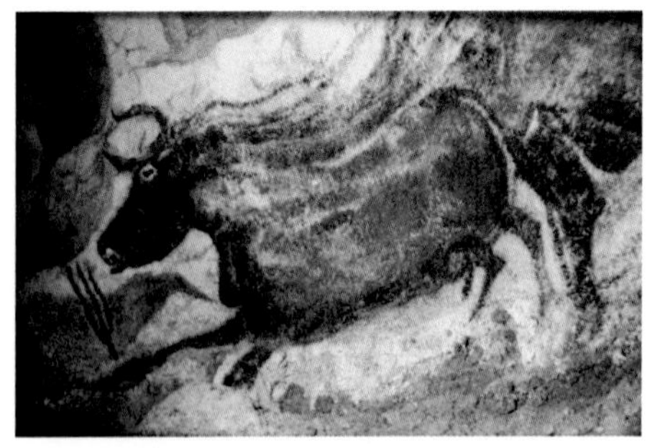

図23　旧石器時代の壁画，ラスコー洞窟（フランス）
主洞に描かれた牛，馬
©Ruth Hofshi/Alamy Stock Photo

なお，文中の，上の方というのはこれらのイメージが天井の方に描かれているというとても重要なファクターなので強調しています。

さらにイメージを映しながら音楽を流す時間も少し加えて以下のような情報を補足しました。

「この音は，この時代（人類の黎明期）の音楽を研究している音楽家が，こうした音と共に絵がみられたていたのでは？　と想像し，フランスの別の洞窟で奏でた音です」[13)]

実際はラスコー洞窟での演奏ではないのでこのように話したのですが，音響効果の良い場所にイメージが描かれていることから音とイメージの相関性が指摘されていることもあり[14)]音とともに見られた可能性を示唆しました。

そしてもう一点，照明についての情報も重要なので以下のような話も加えました。

「ここで注意したいことは，現代と当時では絵を照らす光が違うということです。現代の照明だと一様に照らせるのでパッと見て全体像がわかります。でも，当時はスプーン状の石器に油（獣脂など）を入れ，灯をともしていました。ですので，照らされる範囲が限られています。自分が動けばまたあらたに見えてくる，といった感じでしょうか。ろうそくの光を思い浮かべてもらえば良いかもしれませんが，ゆらゆらとした灯だったと思います」

以上のような話とともに発言を促しながら順番にイメージをみていき最終的には“なぜこのようなイメージが描かれたのか？”を考えてもらいました。

部分的ではありますが最後の質問をめぐりだされた意見を内容別に分類したものが次頁の図 24 で，表にはもとの意見を載せています（筆者による誤字脱字などの修正あり）。

太古の他者が残した絵とわたしたち

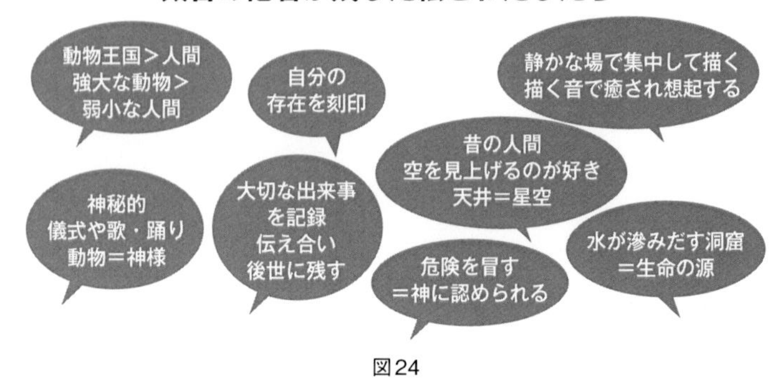

図24

- 動物ばかりなのは人間中心の現代と違って動物王国とも呼べるような世界が広がっていたからではないだろうか。
- かつての人間は動物たちと比べて自分たちを弱小な存在として見ていたから動物が大きく生き生きと描かれていたのではないか。
- イメージから神秘性を感じたので儀式として使われ歌や踊りがそこで執り行われたのかもしれない。
- 動物は自分たちの命の源でもあるので神様のような存在として上のほうに描いたのではないだろうか。
- 自分の存在を刻印するために目を閉じて浮かんでくるイメージを記したのではないか。
- 建物もなにもない太古の時代は空がとても広く感じられたと思うので，その頃の人間は空を見上げることが好きだったにちがいない。暗い洞窟の天井を星空に見立てて動物を星座のように描いたのでは？

・文字がない時代，絵は記録としての役目があり，大切な出来事を互いに伝え，同時に後世の人にも伝えようとしたのではないか。奥まっている洞窟は保存状態も良いと思うので。
・狩猟などを行う大変な日常から離れて，集中して描きたいために奥まった洞窟に入ったのだろう。塗ったり描いたりする際の音で心は静まり癒されて自分が経験した出来事を静かに想い出す時間を得たのではないか。
・洞窟は地下水が染み出てくる場なので生命の源として特別な意味があったのでは？
・地下深くの場所に行くという行為自体が危険を冒すことでもあるので神のような存在に認めてもらうために絵を描いたのでは？

こうした意見からはイメージに向き合い自分の経験や知識をもとに太古に生きた人間が見て感じ考えたであろう世界を想像しようとする心の動きがみてとれます。

動物王国，弱小という言葉で象徴されるような，現代とは異なる世界観や人間のありかたを想像すること，ビルの隙間からみえる狭い空ではなく天空に囲まれた太古の光景に思いを馳せ洞窟の天井と星空との自然な繋がりを考えること，狩猟時代の日常における精神的緊張を推察し，絵を描くことに集中し日々の出来事を想起できる場や描く音だけが聞こえる心静まる洞窟空間を想像すること，さらには，地下奥深くに行くことや地下水の染み出る場であること自体に隠された意味を探ろうとするありかたや，絵を人間同士のコミュニケーションとしてだけではなく神との繋がりを生み出すものとして考えること，といったようにそれぞれの目の付け所（注意の向かう先）を起点に，その人固有の感覚，感情，想像，思考が動き出すことで多様な知覚プロセスが展開している様子がうかがえます。

授業の最後には，これまで提起されてきた専門家の仮説をいくつか紹介しつつ（まだ一致した見解はないとの但し書きつきで）授業中に出された〈わたしたちの仮説〉を振り返る時間をとりました。

大人数で発言者が限定されてしまう為，授業後に自分の見解や他の意見へのコメントを中心としたレポートを提出してもらい翌週の授業冒頭で紹介する時間を設けましたが，学生にとっては楽しみな時間でもあり多くの学びを得る機会になったとの感想が聞かれたことが印象的でした。

あらためてではありますが，意見の共有は，多元的世界との出会い⇒それぞれに固有の知覚プロセスを働かせる⇒知覚の組み換え，といった流れの中で欠かせない活動になります。

セッション②／ストーリーを考えてみる

ここではセッション①と内容的に関連する後続の授業例を紹介します。読者の皆さんも是非ご参加ください。

時を一気に飛び越え現代アーティスト鴻池朋子の作品が対象です。

> 「絵を描く，とは何だろうと思う。例えば文字もない時に洞窟で絵を描いた人のことである……描き始めると同時に見えない何かと対話が始まる」
> 「今日周囲では自分たちが創った言葉や文字に自爆的にやられっぱなしなのはなぜか」
> 「人が森羅万象と行き来できた頃のように神話を語りだした頃の体を呼び起こし，言語の手前にあるもの，もしくはその彼方にあるものを導きだす，そういう旅ができないだろうか」[15)]

以上のような作家自身の言葉は，人と動物の境界線が曖昧であった時代を思い起こさせるとともに，人間中心の世界からは遠く隔たったところから発せられているかのようです。

言葉や文字にやられっぱなし，との表現は誹謗中傷の言葉が人を死に追いやる現代の状況や，少し前に流行った“勝ち組負け組”のように，人を簡単に分類・価値づけてしまう言葉を連想させます。

一つの物差しで容易く人を二分することはありもしない線引きを実体化し，自己嫌悪，優越感，諦念，妬みを生みだします。そもそも言葉とは，綺麗，汚い，若い，老いる，といったかたちで二分法的に世界を差異化してしまうがゆえにときに生身の人間を縛り息苦しさを生み出す原因にもなりえます。

そのような言葉の檻から現代人を解放しその外部に広がる広大無辺な世界へとわたしたちの想像力を解き放つ力をもつこと，これが洞窟壁画に続いて彼女のイメージ世界を取り上げる理由です。

授業では，最近の作品も含め全部で6点を扱いましたが，ここでは連作としての4点の大型パネルの作品に絞ってご紹介します。

まずは，次頁図25～図28を一枚一枚じっくりご覧になってください。そして，4枚を通してみた時に，もしかしたらこのような流れがあるのではないか，あるいはこのようなストーリーかもしれない，との考えが浮かんできたらメモするか，心にとどめておいてください（ちなみに本連作は制作年順，すなわちコンセプトの展開としては図28→図27→図26→図25でした）。

図25上段　鴻池朋子《第1章》2006年
アクリル，墨，雲肌麻紙，木パネル，220×630×5cm

図27下段　鴻池朋子《第3章》（タイトルの続きは104頁に記載），2005年
アクリル，墨，雲肌麻紙，木パネル，220×630×5cm

いや，流れやストーリーは思いつかなかった，ということであれば，ひとつの場面でいったい何が起きているのか？　を考えてください。

あるいは，何が起きているか見当がつかない，という方はまずはどの絵でもよいのでイメージに合うような言葉（見出し）をみつけ，なぜその言葉なのかその理由を具体的に絵のうちで探してみてください。

図26上段　鴻池朋子《第２章》(タイトルの続きは104頁に記載)，2005年
アクリル，墨，雲肌麻紙，木パネル，220 × 630 × 5cm

図28下段　鴻池朋子《第４章》(タイトルの続きは104頁に記載)，2004年
アクリル，墨，雲肌麻紙，木パネル，220 × 630 × 5cm

参考までにタイトル順でストーリーを考えてもらった際の学生の意見を次頁以降に一部記しましたのでご自分の意見がまとまった後で目を通していただき，みえ方，感じ方，考え方の変化はあるか，あったならばどのように変わったのかを振り返ってみてください(次頁下欄ではタイトルの続きもご確認ください)。

💡1 誹謗中傷の言葉が突き刺さり心臓(心)が傷ついている(1枚目)⇒狼は悪いイメージがあるので赤い靴の足だけがみえている子はうそつきの子を意味している(2枚目)⇒うそつき同士が集まり自分たちへの嫌悪感から自らの心臓や心をしめつけている様子(3枚目)⇒嘘をつき続けて孤独になってしまった辛さから目をつぶりこの世界から逃げていく(4枚目)

💡2 氷の中に人間と狼が眠っている(1枚目)⇒人間の中にある優しい気持ちと狼のような獰猛さという対照的な2つの要素が共存しつつ葛藤している状況が表されている(2, 3枚目)⇒人間的な優しい気持ちが負け別の世界へと飛び立ってゆく(4枚目)

💡3 冬の寒さで植物が凍っている。そこに氷を割って出ようとする生命力が芽生える(1枚目)⇒自然の力を象徴する竜巻の一部として狼がみえる。自然に飲み込まれ狼に食べられた女の子がみえる。たくさんの剣は彼女を救おうとする力なのか?(2枚目)⇒多くの子供たちが狼の心臓にされて狼のモノになってしまう(3枚目)⇒狼は人間の子供を犠牲にしてまでも生きていこうとする動物の生存本能を表している(4枚目)

💡4 寝静まった森の湖からエネルギーを封じられていた獣が目覚める(1枚目)⇒獣は人間界の空を覆いつくし人間を引き込もうとする(2枚目)⇒夜の森で獣に魂を乗っ取られた人間は宙をさまよう。人間の体を失い放置された心臓が森に残されている(3枚目)⇒獣は一塊になって夜空へ飛んでいく。上半身だけが動物になっている理由としては,意志や理性を司る人間の脳の部分を動物が支配してしまっていると考えた(4枚目)

※タイトルの続き/図26《巨人》,図27《遭難》,図28《帰還 シリウスの曳航》

💡5 全体的にとても不思議な感じのイメージで気味悪さと綺麗さが共存していると思った（1～4枚目）⇒大きい心臓は森も人間も他の動物も同じように生きているのだということを意味しているのでは？（3枚目）⇒人間が動物に包まれ（狼が優しい表情をしているようにみえたから）さらにそれを大きな自然が包み込んでいる感じがしたので自然界の中での繋がりや共存の大切さが表されているのかなと思った（4枚目）

💡6 雪が降る寒い夜，凍った湖から何かが生まれる（1枚目）⇒地表が爆発して竜巻のようになにかが空へ伸びてゆく。その中では狼に覆われた女の子がいる。ナイフ（文明や科学を象徴）が少女の周りに飛び交っているが狼（自然）に守られているように見える。一見きれいだがこわさや冷たさがあるイメージだ（2枚目）⇒夜の森の中でオオカミと一体となった少女が自由になる。大きな地球の心臓が生む鼓動にあわせて宙を舞っているように見えるのは人間が地球の一部であることを意味しているのかもしれない（3枚目）⇒暗くて冷たそうな夜だが狼の周りには光の輪があって温かそうにみえたので少女が安全に守られている感じがした。全体として人間が地球に生かされ動物と共存しているということを感じた（4枚目）

💡7 命の継承や転生がテーマなのではないだろうか？　生命の誕生（1枚目）⇒竜巻という自然の力と動物の力の混ざり合い（2枚目）⇒オオカミと人間との融合（3枚目）⇒羽をもつ全く新しい生物が別の世界へと飛び立っていく，という大きな流れがみえた（4枚目）

いかがでしたか。

同じような感じかた，反対に，意外なみかたや考え方もあったのではないでしょうか。

学生の意見からは，誹謗中傷を受けキズついた心，自分への嫌悪感や孤独に苛まされる嘘つきの心の裡，そして，優しさと獰猛さの同居や葛藤といったように人間の内面世界の表現として捉える意見もあれば（1，2），生命力や生存本能といった自然や野生の動物に宿る根源的で圧倒的な力を感じ取ったり（3），動物に魂を乗っ取られ理性と意志を奪われた人間の物語として捉えたりする意見もあります（4）。さらには，人間 vs 動物の枠組みを超えて，自然界や地球という大きな世界に包まれ生かされている人間を感じ，動物との共存や生命の繋がりを読み取る意見もみられます（5，6，7）。

そこには，傷つきやすく時に優しさと獰猛さの両極に引き裂かれる人間の心の世界をみつめる視点，動物の側から人間を捉える視点，地球・自然という広大な世界のうちにある一動物として人間を捉える視点といったように，相異なる着眼点からの豊かな想像のひろがりをみてとれます。

また，“一見きれいだがこわさや冷たさがあるイメージ”，あるいは，“気味悪さと綺麗さが共存している”といったように，言葉の世界では対立するけれどもイメージの世界では両立し得る不思議な感覚をもとに自分なりにどのような世界なのかを想像し新たな意味をみつけようとする様子もうかがえます。

イメージ経験を介してスッキリとした二分法で割り切れないような多元的世界をみつめ感覚・想像・思考を働かせる経験を他者と共に積み重ねることは，現実の物事を捉える際にも良い影響を与えるはずです。複雑な対象に丹念に向き合い自分固有の観点から意味を見出すとともに他の観点や別のフレームワークの可能性を想定しつつオープンな形で見極めようとする構えが養われるからです。

セッション③／なぜこれが名画なのだろうか？（ゲルニカを比べてみる）

ここではまた少し違った観点からのセッション例を紹介しますので皆さんもご参加ください。

現代は情報に埋め込まれた，感じる＋意味づける，の既成のセットを受け入れがち，との指摘をしましたが，“名画”という言葉もその身近な一例といえるのではないでしょうか。わたしたち自身がみて判断したのではなく，既に良いもの，素晴らしいものとして受け取られるべく価値づけされているからです。

概してわたしたちは名画という言葉に弱い存在なのかもしれません。“門外不出の名画がやってくる”となれば長蛇の列もなんのその，なんとか一目見ようとしますし，ガイドブックにこれだけはチェックしよう！との情報が載せられていればタイトな旅行日程に組み込もうとします。

しかし先の洞窟壁画と同様，既に意味づけ，あるいは価値づけされていることを括弧にいれて，まずは自分の眼でみることからスタートすることが，固定観念にとらわれず自分の知覚を働かせる第一歩になります。

ここでは，題材的に関連する別のイメージとの比較を組み込んだセッション例を紹介します。

今回はビジネスパーソン向けの約40分のセッション例で以下の5つの流れで行いました。参加者は10名程度です。

1　第一印象をワークシートに記入し発表してもらう

まずは情報なしに第一印象をワークシートに記し，発言する，という活動からスタートします。第一印象をめぐるメモはセッション後の変化をご自身で振り返ってもらうための参照点でもあります。

では，読者のみなさんもご参加ください。みたことがある方もない方も，まずは図 29（折り込みの図版）に向き合っていただき，今あらためてみたときの第一印象をメモしてください。

書き終えたらセッションでだされた意見を一緒にみていくことにしましょう。

会場からは，「不思議」「怖い，ギャーという感じ」「色づかいが好き，苦しそうな表情だけどかわいい」「苦しそう」「恐ろしい」「叫びが聞こえてくるようで恐怖を感じる」といった聴覚も含めた感覚・感情的側面からの印象や好みが述べられ，自分の感じ方にフォーカスした意見がだされるともに，表現のされ方や何が表されているのかなど，いわば対象にフォーカスした発言もみられました。例えば，「線が複雑に交差している」「すべてのものが切断されているように見える」「動物と人間が部屋に閉じ込められている」「倒れている人，叫んでいる人，オッドアイの子ども，馬がみえる」といった意見です。

2　ひとりひとりに今何が見えているかを発言してもらう

VTS では「何が起きているのでしょうか？」との問いになりますが，この作品は教科書，テレビなどで既視感を持っている方が多いことを想定し，まずはまっさらな目でみてもらうために今自分にみえているものをどんどん皆で列挙していく方法をとりました。

読者の皆さんも，何がみえているか，との観点でもう一度よく絵をみてください。

みえてきたものを確認し終えたらまた戻ってきてください。

会場の人の意見をみていきましょう。

はじめにだされたのは，人が5人いるとの意見でした。「どこにみえますか」「何をしているのでしょうか？」との問いかけを，適宜することで，会場からは，画面向かって左下で，手が切断され横たわっている人がいる，死んでいるのでは？　との意見や，右端に建物から落下しているような人がいて両手をあげて叫んでいる，その左手にランプを掲げ首だけ出している幽霊みたいな人がいる，向かって左端では死んだ子供を抱き泣いている女性がいる，との意見が次々とだされました。

さらに，動物もいる，との指摘で，左端の親子の後ろに牛のようにみえる動物，その少し右手の馬へと参加者の注意が移っていきました。

少数意見としては，ほとんどの人が気付かなかった部分を示してくれた意見が2つありました。

皆さんの中には既にお気づきのかたもいるかもしれません。

一つめは鳥がいるとの指摘です。図版ではみえにくいのですが，牛と馬の顔のちょうど中間地点で頭部を上にしてくちばしを広げた鳥です。

二つめは，最初に指摘された人物の右手（剣をもっているほう）の花です。

「ほかに何か気づいたことは？」との問いかけでは，電灯のような光が画面上部中央左寄りにみえる，との意見。同じ個所をめぐっては，太陽ではないか？　何かの爆発ではないか？　との見解もだされてきたので，3の活動へと移りました。

3　何が起きているのか？　を発言してもらう

「何が起きているのでしょうか？」との問いを投げかけ，わからなければ感じたこと考えたことなど今心に浮かんでいることを自由に発言してもらう時間です。

皆さんも，1と2の活動でみえてきたことや，会場の意見も参考にしながら，一体何が起きているのか？　を考えてみてください。

こういうことかな，と考えがまとまってきたらまた戻ってきてください。

では会場の意見を紹介します。

まずは，右から左へと動いているようにみえる，との発言が出されたことで，中央右寄りの，顔をにゅっとだした幽霊のような女性がもつランプへと向かう，別の女性の動き（ランプの女性の顔の下にみえる女性で，腰をかがめ首を伸ばし前に歩こうとしている人物）を指摘する人がでてきました。

そこから暗い室内から光のある方へと向かう動き，さらには，災害（右端では火災から逃げ遅れた人が表されているようにみえることから）から逃れようとしているのではないかとの意見も出てきました。

災害以外の可能性としては，馬のような動物に踏みつけられた兵士（向かって左下で片手が切り離され死んでいる）がいることから，動物の反乱による悲劇ではないか，この世の出来事というよりは地獄が描かれているのではないか，人間の内面にある不安や悲しみ，絶望などが表されているのではないかとの意見も出てきました。

全体として，何か大変な状況（あるいは状態）であるという点では，ある程度の一致がみられるのですが，具体的な文脈となると，現実世界の出来事なのか，あの世なのか，あるいは，心の世界なのか，といったように次元の異なるさまざまな可能性が提起されています。
また一義的に意味を規定できない箇所がいろいろとでてきたことで両義性や多義性を暗示するような意見もでてきました。
例えば，室内なのか外なのかという点について，どちらか一方の可能性を指摘する人もいましたが，外から見た視点（向かって右側に窓や建物がみえるため）と室内からの視点（左端に少し明るい開口部があるようにみえ牛や馬などがいる部分は暗いため室内のようにみえる）が共に表され共存しているのでは？　との意見も出されました。
先述の電灯，太陽，爆発と様々な意見が出たギザギザがついた楕円形についても，神の眼，救いの力ではないかとの見方があらたに出されることで，災いとしての爆発のみならず超越的な神の存在や，救いの可能性も加わりました。
また，切断された腕や壊れたナイフの上に線で描かれた花があることから，悲惨な状況の中でのかすかな希望が込められているとの意見や，マンガ的描写に似たコミカルな感じがあるので惨状の告発だけではない何らかの意図（皮肉のような？）を感じたとの指摘もなされました。
さらに，馬をめぐっても，人間の敵と考える人，反対に，守護神にみえた人がいました。前者の理由としては，馬の口から突き出された舌の先端が金属的で鋭利になっているので人間への攻撃性に感じられたとのこと，後者では，舌を突き出した状況が人間の苦しみや悲しみを代弁する叫びに感じられたとのことです。同じ場所に注目していてもそれをどう捉えるかで正反対の意見がありえるわけです。
左端の，死んだ子供を抱く母親の後ろに立つ牛については，彼女たちを守っているのか，それとも，ただ居合わせボーと立ち尽くしているのかが不明瞭でどちらともとれる謎を含んだ存在として捉えられていました。

4　同題材の絵画・写真と比較し気づいた点を発言してもらう

実は……ということでゲルニカが何を題材としていたのか（ゲルニカというバスク最古の伝統的文化をもつ街に対し 1937 年に行われた無差別空爆）を告げた後で，同様な題材をめぐる２つのイメージとピカソ作品を比較し気づいたことを発言してもらう時間です。

図 30 は，厳密には同題材とは言えませんが（マドリード空爆が題材です），スペイン内乱を題材としている点では同じで，ピカソ作品とともに 1937 年にパリ万博スペイン館で展示されました。図 31 は爆撃されたゲルニカを写した写真です。

さて皆さんもこの２枚の作品と先のピカソ作品を比較してみてください。何か気づいたこと感じたことなどはありますか？　少し時間をおいてご自分の考えがまとまったらまた戻ってきてください。

図30　オラシオ・フェレール
《マドリード 1937（黒い飛行機）》
1937 年，油彩，カンヴァス，148 × 129cm
国立ソフィア王妃芸術センター蔵（マドリード）
©agefotostock/Alamy Stock Photo

図31　スペイン内戦：独伊空軍機による爆撃後のスペインの町ゲルニカ，1937年
©World History Archive/Alamy Stock Photo

いかがでしたか。

以下の表に会場からの意見を抜粋しましたのでご覧になってください。

○1写真や写実的な絵のほうでは悲しみしか感じられなかったが，ピカソの絵は一つの画面で悲しみと希望の両方が表現されているように感じた。

○2写真や写実的な絵よりも奥行きや深さを感じる。多分そこには作者の意志や願い，メッセージがあるからかもしれない。

○3写真的な固定された印象ではなく映像に近い物語性を感じた。

○4リアル（写実的）に表現しないことによってよりパワーが感じられ，意味の広がりがさまざまに生み出されている。

○5写真は起きたことを過去形として示しているけれどもピカソの絵は今自分の目の前で起きているような感じがする。

○６過去の悲惨な出来事という意味に縛られず人間の心の闇や闘争状態，希望と絶望などさまざま状況として考えることができる。

同意できる意見はありましたか？　あるいはこうした指摘とは違った点に気づかれたかもしれませんね。

ところで，４の活動はみなさんにとってどのような意味があったのでしょう？

参加者の意見をみる限り次のような変化を読み取れます。

３の活動ですでに参加者は以下のことを経験していました。どこで何が起きているのか，また，何がありどのように意味づけられるかをめぐってはさまざまな見方や捉え方がありえること，さらには，絶望と希望という対照的な感情さえも同時に感じえる可能性などがあることです。

しかし，４の活動が加わることで，より明確に，そうした多義性（相反する意味を同時に示唆できる含蓄性や多様な見方や意味を誘発する内包性・曖昧性を含む）こそが，ピカソのゲルニカの特徴であることを他のイメージとの感覚的違いをもとに認識できた，といえます（○１，４，６）。

複数のイメージを比較する活動は，視覚を含むすべての感覚をフル稼働させる動因になります。子供も大人も思わず一生懸命になる間違い探しゲームの誘因力に少し似たところがあるかもしれません。

会場からは，ゲルニカが私たちに与えるパワー（衝撃力）そのものを感じ（○４），今自分の目の前で起きているような感覚や固定された印象ではない映像に近い物語性（○３，５），そして奥行き・深さ（○２）といった，比較することで際立つ感覚的特質が指摘されました。

既に意味づけられ価値づけられたものをそのまま受け取るのではなく，自分の感覚を開き違いを感じ取るという，知覚プロセスのしなやかな働きを観察できるのではないでしょうか。

最後に5の振り返りの活動に移りましょう。

5　振り返り（最初の自分の意見と比べて記入してもらう）

振り返りの時間として自分の第一印象がどのように変化したのかをなるべく具体的なかたちでワークシートに記入してもらいます。

みなさんも，ご自身がメモした第一印象と比べてみて，今の自分にみえていること，感じ考えていることなどをみつめ，どのような変化があったかを振り返ってみてください。

振り返りが終わったらまたこちらにお戻りください。

会場からは，「苦しそうな人々や逃げている人の動きが第一印象であったが，他の方の意見を聞いているうちに全体がみえてきて，明るい壁，光，灯火などから希望がみえてきた」「顔ばかりみていたがカラダも描かれていたし花も描かれていた。もっと掘り下げたいと感じた」「最初は怖い，ギャーという感じだったが，破壊・死・混乱・驚き・慈しみなど単なる怖さより，もっと多くの感情がありそうだと思いなおした」「最初は横たわる人，牛，叫ぶ人，オッドアイの子供，といったように個々の存在に目を向けていたが，右から左へと力の流れがあることや，逃げている人や動物，押しつぶされる兵士，天使から悪魔へと変わる子供といったように，動きや変化のプロセスとしてみえてくるようになった」との意見がありました。

注意を漂わせ視野が広がっていくことでさまざまな形や意味があらたに浮かび上がってきたこと，それがもっとみてみたい，考えた

図32　マリヌス・ファン・レイメルスワーレ《聖マタイの召命》
1530年頃, 油彩, 板, 70.6 × 88cm
ティッセン＝ボルネミッサ美術館蔵（マドリード）

いとのモチベーションになったこと，また，最初は，怖い，との感情のみだったけれども，多様で複雑な感情が潜んでいそうだと感じるようになったこと，さらには，事物の特定だけではなく動きに満ちた展開しつつある出来事としてみえてきたことが窺われます。

ここには注意の向け方の変化にはじまり，感じかたの深まりや意味づけの広がりといった意味での知覚の刷新，そして，そうした知覚プロセスを推進させるモチベーションをみてとれます。

比較鑑賞（イメージ比較）の一例としては，他にも，①情報なしに同題材の複数作品をめぐり，何が起きているか？（あるいはどのような状況か？）を考えてもらう⇒②何を題材にしていたかを知らせる⇒③どの作品が題材にあっていると感じるか？　その理由は？　との問いかけをし，自分なりの観点で自由に作品比較をしてもらい他の人と意見交換するという流れで行うこともできます。

同題材の図32と図33を例に考えてみましょう。

図33　ミケランジェロ・メリージ・ダ・カラヴァッジョ
《聖マタイの召命》1599-60年頃
油彩，カンヴァス，322.3×340.4cm
サン・ルイージ・デイ・フランチェージ教会蔵
(ローマ)，©Artefact/Alamy Stock Photo

①では，まずは現代のわたしたちの視点から何がどのようにみえ何が起きているかを考えることになります。例えば，図32では，貧富の差に目を向ける人もいるでしょうし，表情に注目し，カウンター越しにどんな会話が交わされているかを想像する人もいるかもしれません。図33では，画面右端の人が誰を指さしているのか，何を言っているのかに注意が向かい，言い争いが起きているのでは？と考える人もいるでしょう。

②では，二作品が同じ題材であったことに驚きを感じる人が多いでしょう。当時は利を貪る取税人が罪深い人間とされていたこと，だからこそイエス・キリスト（図32画面中央左寄りの人物，図33の右端の人物）は取税人マタイ（図32の中央右寄りの人物，図33の左端の若者あるいは左から3番目の人物両説あり）に弟子になるよう呼び掛けた

等の情報を知ることは，両作品がわたしたちとは異なる時代・文化の刻印を受けていることを体感する契機にもなります。なぜなら題材を知った途端作品のみえ方や感じ方が変化するからです。

そして最後に③では，再び，自分の観点をもとにどちらが題材の表現としてしっくりくるか，それはなぜなのかを考えることで，いわゆる名画を各々の観点から比較考察し判断することになります。

ある程度鑑賞経験を重ねた高校生前後の年齢であれば，時代的文化的に異なる文脈に触れ多元的なイメージ世界に出会うこうした活動も無理なく有意義に行えるでしょう。

セッション④／固定観念からの解放

最後に，日常的な固定観念からの知覚の解放と組み換えを目的としたセッション例についてお話しします。

わたしたちは自身の経験や聞いた話，日々目に触れる文字情報や写真・映像などの視聴覚情報をもとに，さまざまな対象をめぐる一定のイメージをつくりあげます。特に今日のように情報が溢れた時代では，既成のイメージや固定観念が生じやすくなっています。

だからこそ，多元的イメージ世界，つまり習慣的なものの見方や捉え方を超える世界に向き合うことの意義がますます強まっています。

家族を切り口にしたイメージ比較

家族という言葉で皆さんはどのようなイメージを思い浮かべますか？　ご自分の家族だけでなく，テレビ・映画・コマーシャルのワンシーンなどでみた家族像などが混ざり合って，温かさ，繋がり，安らぎなどに類したイメージを持つ方も多いのではないでしょうか。

わたしたちが日常何気なく使っている言葉遣いに，個食，仮面夫婦，バラバラな家族などといった表現がありますが，そもそもそうした言葉自体，ある種の家族らしさに対する反意語であって，そこには，一般的に望ましいとされる家族像が透かしみえます。

さてここでは家族を題材としたイメージ比較の例として3つの作品をご紹介したいと思います（実際のセッションでは，1作品ずつ対話をしながら鑑賞した後で，3作品を振り返り，自分が印象に残った作品はどれなのか，それはなぜなのか等を考える時間をつくり意見交換する，といった流れになります）。

では一つめの作品からみていきましょう。

図34　植田正治《パパとママと子供たち》1949年
ゼラチン・シルバー・プリント，24.6×31.5cm
植田正治事務所蔵，©植田正治事務所
増谷寛氏のご厚意による画像提供

まずは皆さんが感じたこと・考えたことをメモしてください。

いかがでしたか。

構図的，デザイン的な側面が最初に目についたかもしれませんね。

和服姿の母親，お洒落な洋装姿の父親，そして身なりをきちんと整えた元気な子供たちは，昭和の古き良き時代の家族像を彷彿とさせるかもしれません。と同時に，砂丘をバックに，帽子，ステッキ，靴などの小道具と家族が絶妙な形で組み合わされたこの作品は，なんともモダンな感じがします。

しかし，こうした印象は，みる人の世代によっても違いがありそうです。

あるクリニックでセッションを行った際，ちょうどこの写真が撮影された時分にこども時代を過ごした方から次のような意見が出されました。

なんとなく人工的な感じがする，もしかしたら特別な人たちではないか？　との意見です。昔は，自転車もこんなきれいなものは使えなかったし，このようなお洒落な服を着ることはできなかった，とのことです。

となると，この写真は当時の庶民の感覚とは少し違う印象を与えたのかもしれません。しかしそうであればこそ，都会的で豊かな家族像をあえて時代を先駆けて提示しようとしたとも想像できますし，砂丘を舞台に人や物を自由に配置・構成することで，慣習から解き放たれた新しいかたちの家族像，さらには，あらたな日常自体を示そうとしたと考えることもできます。

また，平成生まれの女性も混じる別のセッションでは，父親を中心にした家族像に新鮮な驚きを感じ，母と娘が力を持つ現代の家族像の視点から作品を語りだす人もいました。

いずれにせよ，ここでは，作品に触発されそれぞれの観点から“家族”について思考を巡らせる様子が窺われます。それは同時に，自分の家族をめぐる記憶や家族の理想と現実など，それぞれの家族論を思いもかけない形で語りはじめることでもあります。

では二つめの作品はどうでしょうか。

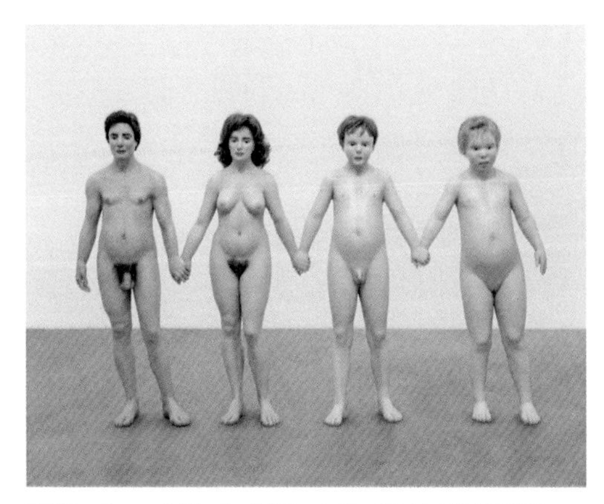

図35　チャールズ・レイ《ファミリィロマンス》1993年
ミクストメディア, 134.6×215.9×27.9cm
ニューヨーク近代美術館蔵, ©Charles Ray courtesy of the artist, ©2022 Digital image, The Museum of Modern Art, New York/Scala, Florence

まずはご自分が感じたこと・考えたことをメモしてください。

この作品ではある種の違和感を抱く人が多いのではないでしょうか。

例えば，なぜこどもも大人も同じ大きさなのか？　なぜ裸なのか？　規格化された工業製品のようだ，人間味が感じられない，戸惑っている感じなのはなぜか？　などといった意見がよく聞かれます。

工業製品のような規格化を感じた人の中には，こうあるべしとして外側からはめ込まれる役割を象徴しているのではないかと考える人もいます。例えば，それは，優しい母や妻，良い子，よき父親というように。

また，子供も大人も同じ大きさの裸体であることに不思議さを覚えた人の中には，裸を生命力の象徴と捉え，無尽蔵のエネルギーを持った子供に大人は敵わないので，同じ大きさになっているのでは？　と想像する人もいます（その方は子育て中でした）。

同様に裸に注目しつつ人物に戸惑いの表情をみてとった人は，服を親や子として予め期待されている行動の象徴として捉え，そうした服を脱がされたとたんどう行動してよいかわからず戸惑っているのでは，と考えたりもします。

さらには，人間味が感じられないとの感覚を出発点に，休暇の過ごし方など家族のアクティビティさえも，商品化・画一化されている時代への批判ではないかと考える人もいます。棚に陳列され規格化された商品であるかのように家族をあらわすことで，そうしたメッセージを伝えたかったのでは，とのことです。

このように，何に注目し，どのような違和感をもち，どのように解釈するかは人によってさまざまです。しかし，共通して言えるのは，そうした違和感をきっかけに，人は何が問われているのかを考えはじめ，普段のそして現代の家族のありようをあらためてみつめなおしながら固定観念を超えたさまざまな家族論を語りだす，という点です。

では最後の作品をみてみましょう。

図36　小西紀行《無題》2014年
油彩，カンヴァス，194.2 × 145.8cm
国立国際美術館蔵，©Toshiyuki Konishi

少し時間を置いて心に浮かんできたことをメモしてください。

さてどのような印象をもたれたでしょうか。

一見，お馬さんごっこをしている親子のようにみえますが，馴染みの感覚とは何かが違うとの印象を受ける人が多いようです。

よくみると顔や体はフラッシュライトを浴びたように白っぽく浮き上がり，眼も赤く反射しています。そのうえまるでレントゲン写真のように皮膚の下の骨が透かしみえています。

骨のようなものがみえていることに少なからずの人が着目するのですが，その解釈はいろいろです。

スナップショット的な一瞬の幸せを永続的にするために，人体を支える強固な骨組みを見えるようしたのではないか，と想像する人もいます。あるいは，骨は死を連想させるので，家族との幸せの瞬間がはかないものであることをあらわしているのでは，と考える人もいます。

さらに，お馬さんごっこ風の人物の格好自体に滑稽さや４本足の動物との類似性を感じ，何気なくやっている動作自体を新鮮な目で捉えなおし，なんで人はこんなことをするのだろうと疑問に思い始める人もいます。子供といるからお馬さんごっこという風に，ありきたりにやってしまう空虚な動作なのではないか，フラッシュライトに照らされた顔はそれに気づいた決まり悪さを表しているのではないか，と深く考える人もいます。

反対に，こうした格好をみると，猿や他の動物たちとなんら変わらない人間の動物的，本能的なありようにあらためて気づかされるような気がして，滑稽でもあり微笑ましくも思った，との意見もあります。

以上のようにある共通した題材（他の一例：モノ，図 37 ～ 39）を持つ複数の作品をめぐりセッションを行うことは，それにまつわるイメージや固定観念から一旦身を引き離し，より広い観点から物事を捉えなおす機会を提供することへと繋がります。自動化された知覚の中断⇒驚きや違和感とともに感覚を開く⇒新たな意味づけを試み思考を押し広げる，といった流れを自然に生み出せるという意味では，知覚回路を刷新し組み替えていける場ともいえるでしょう。

図37　ハルメン・ステーンウェイク《ヴァニタス，静物》
1650年頃，油彩，板，37.4×38.2×1cm
ラーケンハル市立美術館蔵（ライデン）

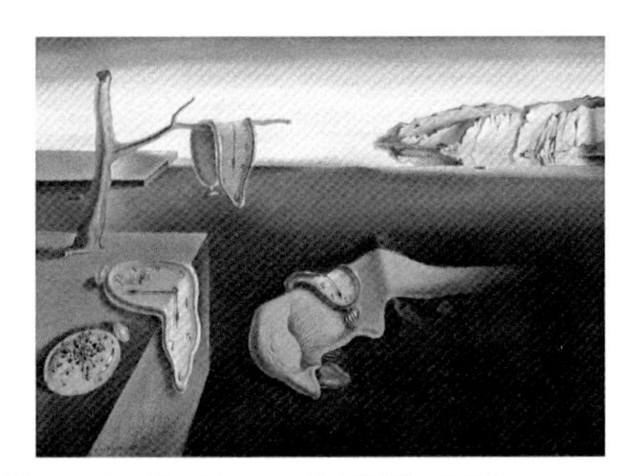

図38　サルヴァドール・ダリ《記憶の固執》
1931年，油彩，カンヴァス，24.1×33cm
ニューヨーク近代美術館蔵 ©Peter Barritt/
Alamy Stock Photo

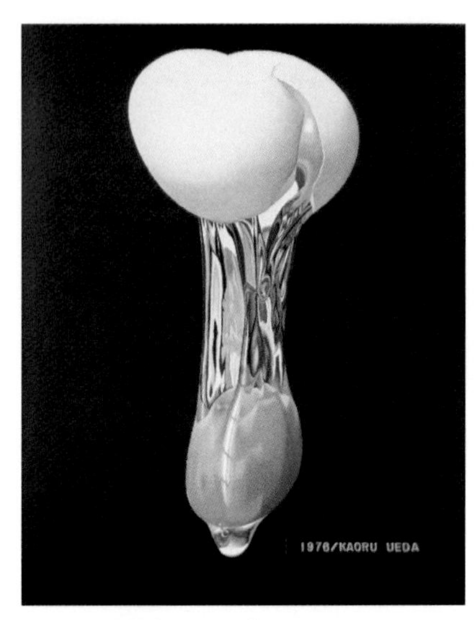

図39　上田薫《なま玉子B》1976年
油彩，アクリル，カンヴァス，227×182cm
東京都現代美術館蔵，©Kaoru Ueda
画像提供：東京都現代美術館/DNPartcom

1章～3章までのまとめ

さてここで，重要なポイントを振り返ってみましょう。

3章までの話をまとめるならば表のように整理できます。

1は，美術と対話の場が持つ根本的な働きです（1章）。以下，2，3，4は，ネット空間で生きる現代のわたしたちに対して美術と対話がもたらす作用（2章）。そして，5，6，7は，現代において際立つ美術の特性や役割についてです（3章）。

いずれも左側が，日常生活やネット空間でのありよう，右側が，美術と対話の場で起きること，あるいは，現代における美術の働きを示しています。

	日常・ネット空間	美術／美術×対話
1	知覚は意識されず	・知覚プロセスの意識化（セルフアウェアネス） ・３フォーカス（自己，他者，世界）の知覚スタイル
2	外から注意がキャッチされがち	・内発的注意を働かせる ・注意のトレーニング
3	外的時間が優勢（更新情報への迅速な反応・処理）	・内的時間に向き合う ・今ここにある身体を感じる ・身体を介した思考を働かせる
4	数値化された承認（フォロワー，いいね）	内的世界の共有と相互承認
5	“わたし”や“みんな”に向かうベクトル	・他者に向かうベクトル ・ネット空間の外部／異質性との出会い
6	・今を注視 ・意識の同期 ・短期記憶への負荷 ・動画・映像消費による記憶の均質化	・記憶の誘発 ・意識の差異化 ・長期記憶の組み替え ・わたしの記憶や他者の記憶に向き合い，互いの経験を尊重しあいながら新たな知を生み出す
7	ルーティン化された感受＋意味づけの働き	多元的世界としての美術（イメージ世界） ｛既存の感受＋意味づけサイクルを中断 ⇓ 創造的な感受＋意味づけサイクルへ｝

１と２は，わたしたちがほとんどの場合無意識に行っている日々の営みとしての知覚が焦点となっています。変化し成長するわたしにとって内発的注意が大切であるにもかかわらず，ネット空間では知覚を導く注意が外からキャッチされがちである点を指摘しました。

美術と対話の場では，それぞれに特有の注意のありようを働かせ，わたし固有の知覚世界に向き合うとともに，他者の異なる知覚世界への身体的気づきが得られるようになります。従って知覚のセルフアウェアネスとともに他者の見方を尊重し協働してよりよい世界理解を得ようとする構えが養われることになるのです。

3と4は，美術と対話によって内的時間を経験し“今ここにある身体”をあらためて感じることがマインドフルネスに繋がるとともに，自分の“身体を介した思考”を“内的世界”として認識し，言語化して互いに伝えあうことが，SNS上とは異なるより直接的な自他承認になるとの論点です。

5と6は，ネット空間においてわたしや不特定多数のみんなの動きが中心になりがちであるのに対し，美術は他者や異質性へと開かれていることに特性があること，さらには，大量の動画・映像等の消費による記憶の均質化に対し，個々人に固有の記憶を誘発しわたしの長期記憶を組み替え新たな知を生み出す作用があるとの指摘です。

7は，最初の1と2を高度情報化社会の中で捉えなおした際の論点です。更新され続ける情報のキャッチアップに追われ知覚の働きが自動化しがちな現代においては，感受＋意味づけの習慣的な結びつきを切断し創造的サイクルへと促す力を美術が持つことを本文でお話ししました。

終章

ヒューマンインテリジェンスを磨く

人は思い出したり想像したりするときなどに，言葉だけでなくマルチ（多，共）感覚的なイメージを浮かべます。とりわけ，美術作品に向き合う際には感覚・感情・記憶などを豊かに孕んだそれぞれの身体に根差したイメージを作品にみている，とのお話をこれまでの章でしました。

実は近年になって，人間らしい知がそのような身体的・マルチ感覚的イメージ抜きに語りえないとの認識が広まってきました。最終章では，AIならぬ，ヒューマンインテリジェンスのありようをみつめ美術と対話がそのような知を誘発できる理由を明らかにします。

1節 身体に根差した知

思考は精神から生まれるのでしょうか。それとも身体からでしょうか。

人間の知のありようを研究する認知科学では，言語や概念的・抽象的思考などは高次認知と呼ばれ，日常的な知覚や行動に関わる身体的な次元としての感覚・運動領域（低次認知）とは区別されてきました。

しかし特に1980年代ごろから“身体化された認知 embodied cognition”という言葉が度々使われ，高次認知が低次認知としての感覚・運動領域，つまり身体に根差していることが認知科学や哲学など幅広い分野で論じられるようになりました。いわば思考は身体からはじまる，とのあらたな見解がうまれたのです。

ここでは“イメージスキーマ”というキーワードに焦点をあて身体と思考の関係をみていきましょう。

イメージスキーマ

イメージスキーマ image schema[1]（イメージ図式との訳あり）とは，人が身体を介し環境とやりとりするなかで獲得するある一定のパターン，あるいは構造としての経験です。「これは以前にも経験したことがある」と身体が感知しほかの経験と区別できるからこそ，パターンや構造は生まれます。赤ちゃんが右も左もわからない混沌とした世界に留まることなくやがてこの世界のうちで行動できるようになるのも，経験をパターン化しいわば世界を秩序立てることのできる身体のおかげといえます。

身体の働きである以上，イメージスキーマは，身体が受け取るさまざまな種類の感覚（視覚・聴覚などの外受容感覚のみならず皮膚感覚，運動感覚，内臓感覚等も含む）や感情を帯びた多感覚的イメージとして存在しています。つまり単なる図式ではなく，感覚・感情的な質を豊かに孕んだ構造なのです[2]。

では基本的なイメージスキーマの例[3]をいくつかみてみましょう。

まずは「垂直性」をめぐるイメージスキーマです。

重力のもとで暮らし直立可能な身体をもつ私たちは，立つ，倒れる，登る，落ちるといった自身の動きのみならず，物（ボールなど）の上昇・下降などの動きを繰り返し経験することで質的に異なる上・下のイメージを形成します。例えば，躓いて転んだ際に痛みをこらえつつ立ち上がる経験は，転ぶ（倒れる）＝下，立つ＝上という，上下で異なる感覚・感情や下から上に向かう際の心身の労力を孕むイメージをつくるでしょうし，急な坂を登ったり緩やかな下り坂を降りたりする際の心身への負荷の違いも上昇と下降のイメージに質的に異なるニュアンスを加えるでしょう。

「容器 container」もイメージスキーマの一つです。物を手に取り内側と外側を感知したり，車や家などのいわば大きな容器の出入りの経験を重ねたりすることで，境界・内部・外部からなるイメージスキーマは形成されます。

と同時に，例えば，囲まれた内部に身を置くことと出ることの質的違いは容器をめぐるイメージスキーマを豊かに肉付けします。寒い日に家から出された経験，閉じ込められた経験，暖かい部屋に入りほっとした経験等がさまざまな感情的質を与えるからです。

さらに「始点 source—経路 pass—終点 goal」からなるイメージスキーマもあります。物を動かすにせよ，自分が動くにせよ，あるいは車や電車など物が動いているのを見るにせよ，多くの経験に共通するパターンとして始点—経路—終点があるからです。

どのようなスタートなのか，移動中に（経路で）障害物に出会うのか否か，さらには経路におけるスピードは速いのか遅いのか（あるいは一定かそうでないか等）などによるさまざまな質的差異がここでもみられます。

では一体イメージスキーマは言語・概念・思考を含む高次認知とどのように関係するのでしょう。

それは高次認知を支える次元，あるいは母体として位置付けられます。抽象的概念のもとになったり，思考する際のロジックになったり，言語表現の源にもなっているからです。

例えば，容器のイメージスキーマと分類概念としてのカテゴリーとの関係をみてみましょう。

容器のイメージスキーマには境界線・内部・外部からなる構造と明確なロジックがあります。ある容器の内部にある物は同時に他の容器の中にあることはできませんが，物が入った容器を大きい容器に入れれば物は大きい容器の中にもあるといえます。

同様に，犬というカテゴリーのうちにあるプードルは，猫という他のカテゴリーには属しえませんが，ヒトという種は，チンパンジーなどとともにヒト属というより大きなカテゴリーのうちにあり，サル目，哺乳綱……といったさらに大きな生物学的分類のカテゴリーに包摂されます。

容器のイメージスキーマはカテゴリー概念の母体となり事物を分類する際のロジックを提供するのです。

また始点―経路―終点というイメージスキーマも，例えば，数学などの演算工程を下支えする枠組みになるとともに，物理的な物や身体の移動を超えた，知的精神的達成を終点とする経路の母体にもなります。

具体的な例として，ハイハイや歩行による物理的移動としての始点―経路―終点を考えてみましょう。最初は前に進む身体運動自体が目的でもやがては前に進むことで得られる“何か”が終点（ゴール）になります。幼いころはおもちゃの獲得が終点かもしれません。しかし，成長と共に，より知的・精神的ともいえる学業上，仕事上，人生上のさまざまな目的（終点）へと変化します。こうした意味で，物理的移動のイメージスキーマは高次の知的精神的達成を終点とする経路に自然に繋がるのです[4)]。

精神的達成と身体を介した物理的移動との密接な関係は，前者の達成度をめぐる以下のような言語表現からもみてとれます。

「足踏み状態である」，「後退してしまった」，「あと一歩届かない」，「一歩一歩着実に進む」などの表現や，経路における困難さを示す表現として「横やりが入った」「足場を外された」といった例のように感覚・運動次元に根差した表現が数多くみられるからです。

垂直性をめぐる上昇下降の動きも，感覚運動的次元に留まらず，“転落の人生”，“山あり谷ありの人生”という表現を生み出しています。そして，そのような言葉を口にしつつわたしたちは，身体に刻み込まれた感覚や感情を内側でかすかに感じているのではないでしょうか。

こうした表現は高次認知としての言語が低次認知に裏打ちされていることのほんの一例です。象徴的な例として,「理解」をめぐる表現に,「腑に落ちる」,「かみ砕いて理解する」,「難しすぎて歯が立たない」,「咀嚼する」などといった食物摂取や消化に関わる器官や動作が使われていることは,理解という高次認知の働きが身体内部からの了解でもあることを示唆しています。

一見抽象的,概念的な議論であっても,そこに経験的な真理に繋がる何かを感じたり,内に秘めた思いなどを感知できたりしたときに,スッと心に染み入るような感覚をもってわたしたちはある思考を受け入れるのではないでしょうか。

わたしたちの知はそうした意味で,図40のような二重構造として捉えられます。言語を用いた思考が上澄みにあり,その下層には,完全には言語化しえない身体を介してえられた経験的世界をめぐる知が分厚い層として堆積し上層を支えているからです。

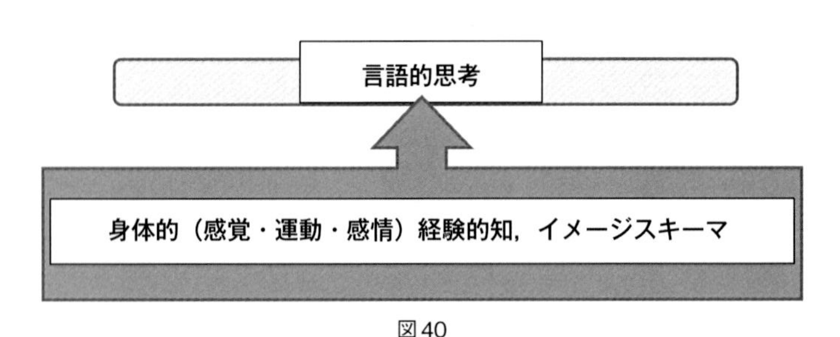

図40

美術を語りあい知の二重構造を作動させる

こうした知の二重構造からみえてくること,それは美術に向きあうあらたな意味です。

美術作品(イメージ世界)に向きあうことは,図40でいえば,下層,それも他者（作者）の身体的経験的な知に感覚を開いて対面することとして捉えることができます。もちろん，他人には見えないわたしたちの知の下層とは少なくとも以下の点で異なります。

第一に，キャンバスや絵の具などの物的素材を用い構成することでみえるものとなり感覚できる対象になっていること。

第二に，省察され深められた経験的知であること。例えば，スケッチ風のイメージが完成に至るまでの制作プロセスには経験的知の吟味や深化が伴うはずだからです。

しかし完全に言語化できない点はわたしたちのうちにある知の下層と同様です。

だからこそ作品を前にして自分の内側で起こるあたらしい経験，例えば，何とも言い難い感情，ふと思い出したこと，連想したこと，考えたことなどを言葉にしようとすること自体に意味を見出すことが出来ます。

なぜでしょう。

わたしたちはネット等を介し日々あたらしい情報を得て共有したり，話題にしたりしています。いわば加工済みの言語的思考をやり取りし，たまに，コメントをつけ加える作業を繰り返しがちな日常といえます。先の図でいえば，外部からの言語的思考に反応し，下層が少し刺激され自分の言語的思考を生むか，あるいは多くの場合，上層のみで，誰かの思考を自分の言葉で置き換えているだけなのかもしれません。

翻って，作品世界に触発され動き出す自分の知の下層に向き合いつつ言葉を生みだそうとすることは，知の二重構造の下層から上澄みとしての新しい知を生みだす極めて創造的な営みといえます。

さらに，同じ作品に向き合い語り合える他者がいることで，それぞれの知の下層は広げられ深められ，いわば組み替えられることにもなります。

イメージスキーマは，人間に共通である部分と，環境や経験の違いなどから生じる個人差があります。従って，同じ作品世界を前に作動するイメージスキーマにも違いがあるでしょう。同様にこれまで身につけてきた知識の違いも個人差を生み出します。語り合うことで気づかされるそうした個人差は，互いの知の下層へと改めて意識を向けさせ，他者の経験的知を取り込んだり自身の知の下層をみつめなおし深めたりすることを促します。

表面の水を波立たせただけでは堆積した下層とは混ざり合いません。下層から揺らぎを与え活性化することではじめて上澄みの層に豊かな経験に裏付けられたあたらしいコンセプトや発想がうまれるのではないでしょうか (図 41)。

現代においてイメージを前に語り合うことは，人間の知の二重構造を十分に作動させあらたな思考を生み出す創造的な回路をつくりだすことなのです。

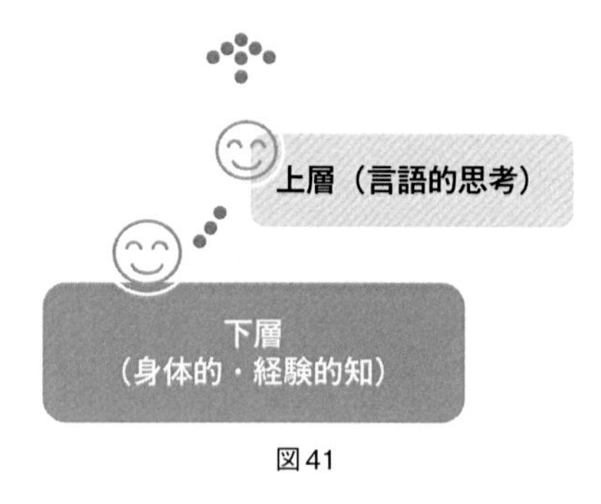

図41

2節　文脈に根差した知

人間らしさと文脈に根差した知

最後にAIの活用が進む現代社会の観点から人間らしい知を考えてみましょう。

AIが代替しにくい業務の特徴，すなわち人間ならではの能力として以下の3つが指摘されています。

①創造的な思考②ソーシャル・インテリジェンス（社会的な知性）③非定型，です[5)]

創造的な思考に関しては抽象的な概念を整理・創出できる力とともに，コンテクストを理解した上で，自らの目的意識に沿って方向性や解を提示できる能力が示されています。

また，ソーシャル・インテリジェンスについては，コミュニケーション能力，協調性，他者とのコラボレーション能力といった意味合いで使われており，具体的には理解・説得や交渉などといった高度なコミュニケーションの場面で，相手の動きを推し量りながら何らかの目的意識に沿って情報を引き出し，それに基づいて提案をする力が挙げられています。

さらに，非定型という項目では，役割が体系化されていない多種多様な状況に対応することが求められる業務が念頭に置かれており，マニュアルではなく自分自身で何が適切であるかを判断できる能力とされています。

筆者が傍点を付した箇所は，いずれも個別・具体的な状況を理解したり想像したりする能力に関わります。つまり，3項目の共通点として，状況をめぐる理解力・想像力を抽出することができるのです。ここではそれを文脈に根差した知と呼ぶことにしましょう。

一般に，AIは人間と異なり文脈（コンテクト）の理解が不得意だといわれます。その理由の一つは人の成長過程から導きだせるのではないか，と筆者は考えています。具体的には，言語獲得以前の段階での，身体的情動的な交わりによる場（あるいは文脈）の共有経験を人間は持つからです。

赤ん坊の寝息にあわせそっとベッドに寝かしつける。親が話すリズムに同調し喃語が発せられる。赤ん坊の喜ぶ声に合わせ大きな身振りで笑顔を返す。人の成長過程においては，言語の獲得以前に，また，自己と他者がはっきりと分かたれる以前に，身体や情動を介したやりとりが積み重ねられ，人間同士がシンクロするような目には見えないある種の場が生み出されます。

さらに，人は，こうしたみえないシンクロの場（勿論シンクロされない時も多々ありますが）のみならず，身近な物などを介してさまざまな場や文脈を共有する経験を日常的に積み重ねていきます。例えば，何かを指さして泣く子にブーブーが欲しいのね，と言っておもちゃの車を渡す，あるいは，こどもの指差す方向に目を向け大人が同じものをみるといった行為は，子にとって，自分に見えている世界が養育者（他者）にも見えており，同じ場や文脈を共有できることを身体的次元で感じとる最初の経験に繋がります。他者と場や文脈を共有できる人間の能力は，人生のスタートとともにはじまるこうした経験に根差しているのです。

人間は生身の身体をもち，常に今ここという文脈でその時々を生きざるを得ません。しかし，だからこそ，個として，また，他者とともにさまざまな文脈経験を重ねることができます。そしてその経験が，新しい文脈や他者の文脈を想像する上での大きな拠り所になるのではないでしょうか。

文脈に根差した知のおおもとには，こうした意味で，身体を持つ人間が生きていく上で自ずと積み重ねる，場や文脈をめぐる豊かな経験の地平があります。

美術が文脈に根差した知を誘発する

さて美術は詩などと同様，メタファー（隠喩）の芸術といわれます[6)]。イメージ（作品）は文字どおり literal（あるいはみたまま）にみられるだけにとどまらず，視覚的メタファーとして作用するために，みる人によって異なる多様な文脈を想起あるいは想像させるからです。つまり美術には文脈に根差した知を誘発する働きがあるのです。

具体的に図 42 をみながら考えてみましょう。

図42　フリーダ・カーロ《折れた背骨》1944年
油彩，メゾナイト，39.8 × 30.6cm
ドローレス・オルメド・パティニョ美術館蔵
（メキシコシティ）
©The Artchives / Alamy Stock Photo

みたままの意見としては，「釘のようなものがいっぱい刺さっていて痛そうだ」「なぜ体の真ん中（首からおなかのあたり）がみえてしまっているのだろう」などが挙げられます。

「腰に巻かれた白い布に血のような赤いしみがみえるから大きな怪我でもしたのだろうか」との意見では，この人物がおかれている状況（文脈）について想像をめぐらせ始めていることがわかります。

では「他人の視線や心無い言葉に苦しんでいる」との意見がでたらどうでしょうか。

とたんに，肌に突き刺さる釘が，人からの冷たい視線や心無い中傷としてみえはじめ，刺さった状態が心的な苦痛として感じられるようになるのではないでしょうか。

釘が刺さり物理的な苦痛を受けているようにみえた画中人物が，今や，冷たい視線や言葉の暴力に晒され精神的な苦痛を受けている人物として，さらに別の文脈で捉えられるようになったわけです。

ここで重要な点は，別の文脈で捉えられるようになった人物や周りの風景が，また別の感覚や感情をもたらすかもしれない，ということです。

情動（身体的な感覚や感情）は判断や推論に密接に関わっているとの指摘があります（情動に関わる脳領域が損傷されると日常生活で必要な判断が難しくなることから，情動と推論・判断の密接な関係を示すソマティック・マーカー仮説が20年ほど前に提起されました[7]）。

今の例にあてはめるならば，釘が体中に刺さり痛みを受けている人物をみた際に受けた最初の感情が，言葉の暴力を受けている人物をめぐる感情へと変化することは，最初の判断が揺らぐ心的経験になりえます。そして，その揺らぎが，観察や思考をさらに深めるモチベーションとなり，また別の文脈をより具体的なかたちで想像することを後押しします。

例えば，「人物の背後の砂漠は彼女の傷つき，ひび割れ乾ききった心を表していて，体を貫く塔のようなものはぎりぎりの状態で何とか自分を支えようとする強い精神力を意味しているのではないだろうか」「釘や体を貫く銃のような金属製の物は容赦ない誹謗中傷を表していて，喉元まで金属がせまっていることは，もう一言も声をあげることができないような切羽詰まった状況を意味しているのではないか」といった意見のように，背景や人物のより細やかな観察をもとに，人物の精神的状況が様々に想像されるようになっていきます。

複数の人間が同じイメージを前に語り合うことのメリットは，他の鑑賞者の知の下層に向き合えるとともに，そこから生じる文脈理解の多様性を目の当たりにし，その面白さや奥深さをあらためて実感できる点にあります。

対話によりこうしたサイクルが持続することで人間らしい知としての文脈に根差した知を十分に発揮できるようになります。

“経験的真実”としての世界理解

ところで先に例として示した複数の意見については，ある意見を真とし，別の意見を偽とすることはできません。なぜなら，描かれたものからその人がそのようにみて感じたことは真実であり，それを○○として捉え解釈したことは，その人の経験や知識に由来するいわばその人固有の身体的な知（あるいは暗黙知）を反映した経験的な真実といえるからです[8]。

世界認識には科学的方法とナラティブな（物語的な）理解[9]の方法があります。作品解釈はある主観によって語られる一つの解釈であって，因果関係等によって世界を説明し真偽の判定ができる科学的な認識とは異なり，他の解釈を排除することはできません。

だからこそ，他者との対話の場は，自身の世界理解のプロセスを意識にのぼらせ，異なる視点を取り入れつつ思慮深く調整する場になりえるのです。

こうした世界理解は，もとをただせば，人間の知が文脈に根差しているからこそ可能となります。先述のように，人は，今，ここという具体的な文脈のうちで生きている以上，世界をめぐる唯一無二の視点をそれぞれの人生のうちでかたちづくるわけですが，そこには，性・人種といった違いに加え，どのような家庭・教育環境で育ちどのような社会的・文化的環境でどのような経験をしてきたかといった個別具体的な地平が刻印されています。その意味で人間の知の特徴は，徹頭徹尾，文脈に埋め込まれた知 embedded cognition[10] といえます。

経験的真実からみるならば，人によって異なる世界理解に多く接すればそれだけ世界を多面的により深く捉えることができます。ただし，ある理解が一旦得られたとしても，別の経験的真実が提起されるならば揺らぎえるという意味では，経験的真実による世界理解は常に未完に留まります。

しかし，そうであればこそ，**完全な理解に至れないことを受け入れ，対面する世界への柔軟な構えを持ち続ける原動力が生まれる**のではないでしょうか。このような世界理解のしかたや構えは，作品解釈という，美術プロパーな領域を超え，現代という，人間が協働して知恵を絞りあいさまざまな問題に向き合うことが必要な時代に求められるありかたともいえます。

美術を介し経験的真実を語り合う機会を持つことは，一人一人の知が持つこうした文脈性に気づき，そのかけがえのなさを認識し，共生的な観点で人間や世界を理解しようする構えを養う上で大きな役割を持つのです。

おわりに

ようやく締めくくりの段になりました。

ここでは，縁あって10年近く教養科目（1年生中心に2～4年生も受講しています）を担当している女子体育大学の学生さんの言葉を紹介したいと思います。

多くの学生は，受講開始時点では科目への興味はあまりなく，美術への苦手意識をもちつつのスタートです。しかし，半期15回，さまざまなテーマの下で作品編成し，対話を介した鑑賞授業を進めるうちに大半の学生が自身の変化を感じてくれています。

いったいどんな変化なのでしょう。授業でどのような力が身に付いたと思うか，自分に変化があったか等を報告してもらった文章を以下にいくつか載せます。

①最初はパッとみてわかるところ，主役的なものにしか注目していなかった。しかし他者の意見を聞き，背景的なもの，人物の表情や雰囲気から読み取れる心情等があることに気づき，考えの幅が広がり様々な方向から物事をみることができると気づいた。第一印象だけで判断し見える部分だけで思い込むのではなく見えないところまで想像する力が身についた。他の意見を聞き自分の意見と照らし合わせたり取り入れたりして考えを深めたり視点を変えてみる力も身についた。一人では想像しても限度がある。他者の意見を聞くことによって幅が広がり深く学べることが多いと思う。これは社会に出ても必要な能力だ。

②物事をいろいろな角度からみることができるようになった。この力は授業以外でも役立つと思う。例えば何か問題が発生した時解決法が一つしかないと思うのではなく違う角度から見れば他の解

決法を見つけることができたり，初めて会った人を第一印象だけで決めずにほかの角度から見てよりその人を知ることができたりするなど，生活で役立てることができる力だと思う。

③日常生活の中で周りをキョロキョロして色々なものを視野に入れるようになったことが自分の中での変化だと思う。歩いているとき，電車に乗っているとき，今までならスマホとにらめっこの状態になっていたが，美術で一つの作品からたくさんの情報をみつけることをしてきて，いつも通っていた道のはずなのに立ち止まりたくなるぐらいたくさんの情報が目に入るようになった。今では歩くときや電車に乗っているときなどは外の景色を見て想像してみたり変化を探してみたりするようになり，考え方のボキャブラリーもすごく増えた気がする。現代人はスマホばかりみているが，自分は周りの人が見ていないものを見られている気がして外に出るのがとても楽しくなった。

④私はこの授業で観察力や想像力が身に付いた。鑑賞は答えがない問題を考えるようなものなので，絵を見る度に何を表しているのだろう，作者は何を考えているのだろうと，小さなところまでよく観察して，小さな部分から大きな世界を想像しなくてはいけません。時には本当に何を描いているのかわからないような絵もあって疑問がたくさん浮かんでくるときもありました。しかし，わからないからこそよく見る，という力が付き，わからないからこそ無限に想像を広げることができると気づき，それからは意味が分からないからこそ楽しく鑑賞できるようになった。この観察力や想像力はいろいろな視点から物事を考えることや人間関係で相手の気持ちを想像するということにも繋がると思う。私は普段

間違えているかもしれないと思うと自信がなくてあまり発言できず，無難な回答をしてしまいがちだったが，この授業では自分の思ったことを恐れずに言えたので楽しく学べた。

⑤物事の表面だけではなく，その背景を考えるようになった。授業内で作品のタイトルやどんな状況が描かれているのかを考えたことによって，日常でも一つの情報をすべてにせず様々なケースを考えるようになった。具体的な経験としては，出先でマスクをしていない人がいたら今までだったら悪く思っていたはずなのに，ふと「マスクをつけられない理由があるのでは……」と気になった。ネットで調べたら感覚過敏によってマスクをつけられない人がいることを知り自分の浅はかさを実感した。勿論マスクをつけていない人がすべてその理由とは限らないが，授業を受けていなければ背景を知ろうとはしなかっただろう。一部の情報を全てと思わずさまざまなケースを考えてみることは日々の生活の中で周囲の人を思いやる上で非常に大切だと思う。人の背景を知ることでより良い人間関係が築けると考えた。

⑥固定観念ではなく自分で考える力，観察力や発想力が向上したと思う。授業で身につけた力は部活動や実技の授業などにも生かせると思っている。観察力が向上すると，物事を細かく注意深くみることができるので冷静な行動が常にとれる。実技が上手くできない人に良いアドバイスや改善すべき点を正確に伝えることができるし，部活で問題が起きた時今までにないアイデアを提示し早く解決できることもあると思う。

⑦受講したばかりの時は，初めに自分が考えた意見が大きくあって

他の人の意見を聞いても，その意見から想像を膨らませることはできなかった。しかし，何回か授業を受けるうちに，この人はここからこう感じたからこう考えたのかと，私なりに，発言した人の感じかたをもとにその人の考えかたを意識し想像するようになり，いろいろな観点からみることができるようになった。私は教師を目指しているので，児童や生徒に対しても，なぜこうなったのかということを一人一人の感じかたなどから理解し，少しでも児童や生徒の気持ちを汲み取りたいと思った。授業で学んだことを生かしこの子は何を訴えているのか，何を伝えようとしているのかをしっかり考えながらこれからも接していきたい。

情報が溢れているからこそ自身の感じる力・考える力が重要になります。固定観念から身を引き離したり一つの情報のみを鵜呑みにせずに多面的に捉えたりすること，さらには語られていない何かを想像する必要もあるでしょう。

また視覚情報が溢れているからこそ，自分の眼でみること，視野を広げてみること，別の角度からみること，見えないものに思いを馳せることが大切であり，それがあらたな発見を生みだします。

そして何よりも学生の言葉からは，セルフィー的な“わたし”やネット空間上での“みんな”ではない，他者へと向かう意識がみてとれます。美術を語り合うことは，画中人物，作家，他の鑑賞者といった３つの他者に対面し，そうした他者との関わりのなかに身を置くことでもあります。だからこそ，自然に，他者の置かれた文脈を想像し，見えない心の内を感じ，その意図を探り，さらには，異なる感じ方や考え方を受容し新しい自分の見方や考え方を培うことができます。

「目の前の人をよける以上に大切なことがありますか？」との駅構

内の広告をみかける現代です。“ながらスマホ”の人に道を譲り，運転中にブレーキを踏みことも少なくありません。

確かに日常の世界より魅力的な世界が画面にはあるのかもしれません。メタバースはスマホやパソコン画面の向こうに広がる世界をより一層刺激的にまた没入感あるものへと変えていくのでしょう。

しかし，どんなにテクノロジーが発達しても，生きていくうえで，また，自我を形成するうえで他者の存在が不可欠である人間のありようは変わりません。

人類の歩みと共にあり，この地球上に生きたありとあらゆる人間の世界理解や身体経験が刻印された美術は，他者や多元的世界へと自分を開くツールとして，そして，知の二重構造を賦活するツールとして，人間が人間らしくあり続けるために不可欠なメディアなのです。

そして同時に，美術を介し互いに自分の身体や心のうちに起きていることをそのまま口にだせる場は，ネット空間では得難い自己受容・他者受容による心の平穏をもたらしてくれるはずです。

註

1章

1）VTSジャパン実行委員会主催「連続セミナー　ヴィジュアル・シンキング・ストラテジー」（講師：フィリップ・ヤノウィン他，総合監修：福のり子，於：京都造形芸術大学）のStep2（2011年8月9日〜14日）及びStep3（2012年3月27日〜4月1日）に参加。

2）ファシリテーターの基本的な役割については，Abigail Housen and Philip Yenawine, *Visual Thinking Strategies, Basic Manual: Grades 3-5, learning to think and communicate through art,* VUE, New York, 2000, pp.4-11.を参照のこと。VTS開発者ヤノウィンの著書として，Philip Yenawine, *Visual Thinking Strategies: using art to deepen learning across school disciplines,* Cambridge, MA, 2013. フィリップ・ヤノウィン著，京都造形芸術大学アートコミュニケーション研究センター訳『学力をのばす美術鑑賞 ヴィジュアル・シンキング・ストラテジーズ：どこからそう思う？』淡交社，2015. 対話型鑑賞やVTSなどをめぐる拙稿として，「対話型鑑賞の再構築」『美術教育学』30号，2009，pp.265-275. VTS（Visual Thinking Strategies）と学習支援——構成主義的学習における支援のありかたをめぐって」『美術教育学』32号，2011，pp.299-312.「"視覚的思考"を育成する新たな教養科目の構築——VTS（Visual Thinking Strategies）の分析とその援用を通じて」『大学教育学会誌』34巻2号，2012，pp.149-156.

3）Shari Tishman, *Slow looking: the art and practice of learning through observation,* New York, 2018, pp.147-150.

4）知覚の働きについては以下の著書における感性・悟性概念を援用した。佐々木健一「感性は創造的でありうるか」，特に，pp.32-33.及び岩城見一「理性の感性論」，pp. 47-69. 京都市立芸術大学美学文化理論研究会編『アイステーシス——21世紀の美学に向けて』行路社，2001所収。

5）鳥居修晃，望月登志子『先天盲開眼者の視覚世界』東京大学出版会，2000，p. 11，p. 23，pp. 62-63.

6）Oliver Mason, F. Brady, "The psychotomimetic effects of short-term sensory deprivation", in: *The Journal of Nervous and Mental Disease*, 197（10）, 2009, pp.783-785.

7）M. メルロ＝ポンティ著，滝浦清雄，木田元訳『眼と精神』みすず書房，1999，pp.257-259.

8）ヤーコプ・フォン・ユクスキュル，ゲオルク・クリサート著，日高敏隆，羽田節子訳『生物から見た世界』岩波文庫，2005，環世界Umweltという言葉で種によって異なる，動物主体と環境との相互作用で編み出される多種多様な時空間を論じている。

9）J.J. ギブソン著，古崎敬他訳『生態学的視覚論――ヒトの知覚世界を探る』サイエンス社，1986.

10）Jo Marie Reilly, Jeffrey Ring, Linda Duke, "Visual Thinking Strategies: a new role for art in medical education", in: *Family Medicine*, 37（4）, 2005, pp.250-252. 尚，美術館と医学校との連携によるアメリカにおける教育や研究については，テキサス大学ダラス校及びダラス美術館リサーチセンターのエディス・オ・ドネル美術史研究所Edith O'Donnell art history instituteが一拠点となっている。2016年6月当研究所がスポンサーとなりニューヨーク近代美術館で第一回フォーラムが開催された。これまでの研究・プログラム・シラバス例については以下のサイトを参照のこと。https://arthistory.utdallas.edu/medicine/resources/（2022年8月25日閲覧）.

11）忍耐強く（即座に応答することを控え）敬意をもって他の意見を聞く参加者の姿がみられたことから，VTSの効用を聴く力（同僚や患者等に対する）との関連で捉えている。又，他の効用として，X線画像や心電図に対するヴィジュアルリテラシー（視覚的イメージを観察し意味を見出す力），鑑別診断や入院患者の治療計画を念入りに練る際に必要なチームビルディングとの関りが指摘されている。Jo Marie Reilly他，前掲論文10)，p.252.

12) Daniel Goleman, *Focus: the hidden driver of excellence,* London, 2014, pp.3-9.

13) David J. Snowden and Mary E. Boone, "A leader's framework for decision making", in: *Harvard Business Review,* Nov., 2007, 以下のサイトより。https://hbr.org/2007/11/a-leaders-framework-for-decision-making. 及び，『不確実な世界を確実に生きる――カネヴィンフレームワークへの招待』出版記念インタビュー字幕付き，2019/01/09，デイヴ・スノーデン・田村洋一（インタビュアー），https://www.youtube.com/watch?v=_gXZH8ngzH0（2022年9月2日視聴）.

14) David J. Snowden and Mary E. Boone，同論文における "Tools for Managing in a Complex Context" の項を参照した。

15) ある米大手個人向け金融サービス会社のリーダー向け研修例が以下のサイトに記されている。https://www.haileygroup.com/facilitative-leadership（2022年9月14日閲覧）. 尚，チームビルディングに関わるケーススタディについては，https://www.haileygroup.com/cultivating-a-learning-culture，医学教育でのVTS活用については，https://www.haileygroup.com/comparable-studies-in-medicine を参照のこと。

16) David N. Perkins, *The intelligent eye: learning to think by looking at art,* Los Angeles, 2003 (1994) , p.35. 転移の為には美術作品に対して働かせたものの見方や考え方を別の文脈で試みること，あるいは，そうした見方や考え方の役割を熟考し有用になる別の状況を考えることを推奨している。

17) ノーマン・ドイジ著，高橋洋訳『脳はいかに治癒をもたらすか――神経可塑性研究の最前線』紀伊国屋書店，2016，pp.13-15，pp.172-174. 神経可塑性とは自己の活動や心的経験に応じて脳が自らの構造や機能を変える性質を意味している。学習は神経構造を変える遺伝子スイッチをオンにすることを示したエリック・カンデルの研究を嚆矢として，意識された心的活動（学習含む）や感覚刺激・身体運動があらたな神経結合や再構成を促し脳の構造や機能を変えることが確認されている。

18) Amy E. Herman, *Visual intelligence: sharpen your perception, change your life*, New York, 2016, p.33. あらたなスキルの訓練は脳の神経結合を再構成するとの脳科学者の考え方を援用しつつ，鑑賞によって観察力を磨くことでわたしたちは自分たちの脳をより良く見えるような脳に配線wireできる，との言葉あり。

19) Daniel Goleman, “The first component of emotional intelligence”, pp.3-10. Tasha Eurich, “What self-awareness really is (and how to cultivate it)”, pp.13-35. in: *Self-awareness*, the HBR emotional intelligence series, Boston, 2018.

20) Amy E. Herman，前掲書18)，pp.14-16，pp.58-59.

21) 令和元年12月中央教育審議会初等中等教育分科会「新しい時代の初等中等教育の在り方　論点取りまとめ」，p.1，https://www.mext.go.jp/content/20200106-mext_syoto02-000003701_2.pdf (2023年3月6日閲覧).

2章

1) Herbert A. Simon, Karl W. Deutsch, Martin Shubik, “2 Designing organizations for an Information-Rich World” in: Martin Greenberger (ed.) *Computers, communications, and the public interest*, Baltimore, 1971, pp.40-41. 以下のサイトより。https://veryinteractive.net/pdfs/simon_designing-organizations-for-an-information-rich-world.pdf (2022年9月10閲覧).

2) トーマス・H・ダベンポート，ジョン・C・ベック著，髙梨智弘，岡田依里訳『アテンション！ 経営とビジネスのあたらしい視点』シュプリンガー・フェアラーク東京，2005 (原書2001)，pp.3-4.

3) 同書，pp.153-170.

4) 同書，pp.127-128. 尚，p.13に20~21世紀への節目でインターネットや電子商取引の世界が最もホットなアテンション市場になったとの指摘あり。

5) 田中秀樹 (富士通総研)「人口知能 (AI) ～マーケティングでの利用が進む

理由と価値〜：デジタルマーケティングコラム」https://www.fujitsu.com/jp/solutions/business-technology/intelligent-data-services/digitalmarketing/column/column033.html（2022年9月30日閲覧）.

6）「はじめに」で触れたトリスタン・ハリスについては以下のサイトを参照した。https://www.wired.com/story/tristan-harris-tech-is-downgrading-humans-time-to-fight-back/, https://mainichi.jp/english/articles/20190811/p2g/00m/0bu/050000c, https://www.cbsnews.com/news/former-silicon-valley-insider-on-how-technology-is-downgrading-humans/（2022年4月23日閲覧）.

7）ベルナール・スティグレール著，ガブリエル・メランベルジェ，メランベルジェ眞紀訳『象徴の貧困1ハイパーインダストリアル時代』新評論，2006，pp.153-155.

8）斎藤環『承認をめぐる病』ちくま文庫，2018，pp.71-73.

9）スティグレール著，前掲書7），pp.151-152.

10）システムが注意をキャッチすることで，放心状態やただの気晴らしが生み出されるとの指摘あり。同書，p.155.

11）ニコラス・G・カー著，篠儀直子訳『ネット・バカ——インターネットがわたしたちの脳にしていること』青土社，2010，pp.266-267.

12）Yves Citton, translated by Barnaby Norman, *The ecology of attention*, Cambridge, 2017, pp.84-122. 特に，pp.86-88では，互いの存在を意識しあえる共同注意の場の特徴として，双方向的な注意の向けあい，話す側と聞く側双方の自然な調整で齎される情動的なハーモニー，そして他者の注意（対象）への注意深さが指摘されている。

13）津島靖子，眞田敏「注意機構の脳機能局在および脳機能システムに関する文献的研究」『岡山大学大学院教育学研究科研究集録』147号，2011，p.145.

14）岩村太郎「二つの時間意識，カイロスとクロノス」『恵泉女学園大学紀要』20号，2008，p.6.

15）松井道昭「横浜市立大学エクステンション講座第7回パリの都市改造」2015,

以下のサイトより。http://linzamaori.sakura.ne.jp/watari/reference/extension7.pdf (2022年5月8日閲覧).

16) Jonathan Crary, *Suspensions of perception: attention, spectacle, and modern culture,* Cambridge, Massachusetts, 1999, pp.90-127. 資本主義社会のもとで要請されていた規範的な知覚や注意のありよう, さらには同時代の心理学や注意欠陥・神経症等を扱う病理学の動向との関連で当該作品を含む1880年ごろの美術作品を詳細に論じている。

17) 1909年のデュラン=リュエル画廊で開かれた「《睡蓮》, 水の風景連作」展（連続する水面を48点の連作で構成）の時点で既に, 楕円形の部屋での連作展示を着想していたとの指摘あり（オランジュリーでの展示は画家没後の1927年)。1909年展評の中で批評家ロジェ･マルクスは画家の言葉として「睡蓮をテーマに一つの部屋を装飾したいという誘惑に駆られている。壁に沿って飾られた, すべてのパネルに展開する統一性は, 終わりのない全体や水平線も岸もない水の幻影を生みだすだろう。仕事で緊張した神経はリラックスし……そこを住まいにする人には花咲く池に囲まれて平和な瞑想をするための隠れ家になるだろう」と記している。William C. Seitz, *Claude Monet, seasons and moments,* The museum of modern art in collaboration with the Los Angeles County museum, 1960, pp.45-46. 以下のサイトにて。https://www.moma.org/documents/moma_catalogue_2842_300190237.pdf (2022年5月10日閲覧).

18) 我思う, という思考の作用には, 我あり, という私の現存在の知覚が随伴しており, その現存在には, 外的世界のあらゆる空間関係の起点としての“ここ”（私の身体）が与えられているとの指摘あり。中島義道『カントの時間論』講談社学術文庫, 2016, pp.52-57.

19) David Freedberg, Vittorio Gallese, “Motion, emotion, and empathy in esthetic experience” in: *Trends in cognitive science,* vol.11, no.5, 2007, pp.200-202.

20) 内閣府令和3年度青少年のインターネット利用環境実態調査（HTML版）

第2部第1章第1節インターネット接続機器の利用状況, https://www8.cao.go.jp/youth/kankyou/internet_torikumi/tyousa/r03/jittai-html/2_1_1.html (2022年7月14日閲覧).

3章

1）代表的な著作として, ハンス・ベルティンク著, 仲間裕子訳『イメージ人類学』平凡社, 2014 (2002).

2）同書, pp.24-25, p.32, p.40. 新石器時代の死者崇拝像を起源とする人類のイメージ創造と死との根源的な関係についてはpp.187-242を参照のこと。

3）同書, p.95.

4）マックスウェル・マコームズ著, 竹下俊郎訳『アジェンダセッティング, マスメディアの議題設定力と世論』学文社, 2014, p.16, pp.39-41. メディアは公衆に対して疑似環境（頭の中の世界像, 実際の環境あるいは現実と比べると不完全で時に不正確）を構成し提示する。それが公衆の世界観をかなりの程度まで形作るとの指摘あり。

5）W. ヴェルシュ著, 小林信之訳『感性の思考――美的リアリティの変容』勁草書房, 1998, p.3, pp.6-8, pp.31-39.

6）2016年に横浜美術館にて開催された「BODY/PLAY/POLITICS」展より

7）レジス・ドブレ著, 西垣通監修, 嶋崎正樹訳『イメージの生と死　レジス・ドブレ著作選4』NTT出版株式会社, 2002, pp.63-64.

8）スティグレール著, 前掲書2章7), pp.60-62.

9）同書, pp.199-204.

10）https://www.fifa.com/tournaments/mens/worldcup/2018russia/media-releases/more-than-half-the-world-watched-record-breaking-2018-world-cup (2022年11月10日閲覧).

11）Don M. Tucker, *Mind from body: experience from neural structure*, New York, 2007, p.192. アントニオ・R・ダマシオ著, 田中三彦訳『デカルトの誤り――情動, 理性, 人間の脳』ちくま学芸文庫, 2017 (原書1994), pp.167-175.

12) ラリー・R・スクワイア，エリック・R・カンデル著，伊藤悦朗他訳，桐野豊他監修『記憶のしくみ 下――脳の記憶貯蔵庫のメカニズム』講談社ブルーバックス，2013，pp.70-71.

13) フランスの壁画洞窟での演奏体験等をもとにした洞窟壁画の場所的特異性をめぐる指摘については，土取利行『壁画洞窟の音』青土社，2008，pp.106-120. 音の例としては，土取利行《瞑響・壁画洞窟――旧石器時代のクロマニョン・サウンズ》(2002年クーニャック洞窟におけるライブレコーディング) SHM-CD，日本伝統文化振興財団，2008.

14) 壁画の場所と共鳴音・反響音の密接な関係を示した音響考古学的研究については，土取利行，同書，pp.59-64. 描かれた場所の音との関係性をめぐる対談は以下を参照のこと。中原佑介編『ヒトはなぜ絵を描くのか』フィルムアート社，2010，pp.57-59，pp.68-79.

15) 鴻池朋子『インタートラベラー，死者と遊ぶ人』羽鳥書店，2009，pp.57-58.

終章

1) Mark Johnson, *Embodied mind, meaning, and reason: how our bodies give rise to understanding*, Chicago, 2017, pp.127-132. イメージスキーマとはパターン化された感覚・運動的情動的経験であり，経験をめぐる理解や推論を可能とするのみならず抽象的概念や思考にも関わるとの指摘あり。

2) 同書，pp.136-137. イメージスキーマは構造化された経験だが，同時に，質的側面，すなわち価値やモチベーションに関わる感覚された質が伴っているとの指摘あり。

3) 同書，pp.82-83.

4) 同書，pp.157-158.

5) 上田恵陶奈，岸浩稔他「特集AIの民主化とデジタル改革――AIとの共存に向け多様性を高めよう」『知的資産創造』2018年7月号，pp.36-37.

6) アートはメタファーの装置metaphoric deviceであって，メタファーを介して，作者も鑑賞者も身体的・精神的理解を伴う複雑な認識プロセスに関わりあうこと，又，作品は具象的であれ，抽象的であれ，シンボル（象徴）を用いて見る人の経験的な洞察を触発する，との指摘あり。Connie Michele Morey, “Visual metaphor, embodied knowledge and the epistemological indefinite”, in: *Wacana seni journal of arts discourse,* Vol.10, 2011, p18. http://wacanaseni.usm.my/WACANA%20SENI%20JOURNAL%20OF%20ARTS%20DISCOURSE/wacanaSeni_v10/WS_ART%202%20(15-28).pdf（2022年7月20日閲覧）.

7）ダマシオ著，前掲書3章11），ソマティック・マーカー仮説については，pp.270-274, pp.277-281. 感情は対象や状況に対するわれわれの概念を変化させ，苦しい，楽しいなどの質を授けるとの指摘あり。pp.250-251.

8）鑑賞者それぞれの経験的真実experiential truthsが反映されるがゆえにいくつもの答え（解釈）が成り立つ，との指摘あり。Connie Michele Morey, 前掲論文6），pp.24-25.

9）Arthur D. Efland, *Art and cognition: integrating visual arts in the curriculum,* New York, 2002, pp.151-152.

10）Mark Johnson，前掲書1），p.34. “embedded cognition”は，身体性認知のひとつのありかたで，物理的・社会的環境との関わりから生じる認知を意味している。

〔著者略歴〕

長井理佐（ながい りさ）

慶應義塾大学法学部政治学科卒業後商社勤務を経て文学部に学士入学。
慶應義塾大学文学研究科美学美術史専攻修士課程修了、横浜国立大学教育学研究科修士課程修了。
ブリヂストン美術館ガイドスタッフ2006（ギャラリートーク及び各種教育プログラム実施）、国立西洋美術館FUN DAY2007企画・実施、すどう美術館小学校向け出前授業、真鶴アートフェスティバルスタッフ・一般向け鑑賞講座、丸善雄松堂知と学びのコミュニティ主催ワークショップをはじめとした一般・社会人向け各種ワークショップ等で講師を務める。
非常勤講師として横浜国立大学学校教育課程で美術史・美術理論を担当し東京女子体育大学では様々なテーマのもとでの対話を介した美術鑑賞授業を行っている。鎌倉市在住。

主要研究業績：「マティスの色彩」前田富士男編『色彩からみる近代美術――ゲーテより現代へ』三元社, 2013.
「対話型鑑賞の再構築」『美術教育学』30, 2009.
「VTSと学習支援――構成主義的学習における支援のありかたをめぐって」『美術教育学』32, 2011.
「学習者の"みる行為"をめぐる一考察――VTS, TETAC, ヴィジュアルカルチャー教育の比較考察を通して」『美術教育学』33, 2012.
「"視覚的思考"を育成する新たな教養科目の構築――VTSの分析とその援用を通じて」『大学教育学会誌』34巻第2号, 2012.
「"身体性"を意識化した"イメージ"との対話――対話型鑑賞への"身体性"の導入を目指して」『美術教育学』35, 2014.
「メディア時代における鑑賞教育――個体化のプロセスを支えるイメージ経験として」『美術教育学』40, 2019.

アートと対話であなたが変わる　ネット時代における美術鑑賞のすすめ

2023年６月18日　初版発行

著　者　長井理佐
発行所　学術研究出版
〒670-0933　兵庫県姫路市平野町62
［販売］Tel.079(280)2727　Fax.079(244)1482
［制作］Tel.079(222)5372
https://arpub.jp
印刷所　小野高速印刷株式会社

ISBN978-4-910733-97-5